明治・大正・昭和の人

仙台領に生きる

郷土の偉人傳

古田　義弘

仙台領　代官所・町場・境目配置図

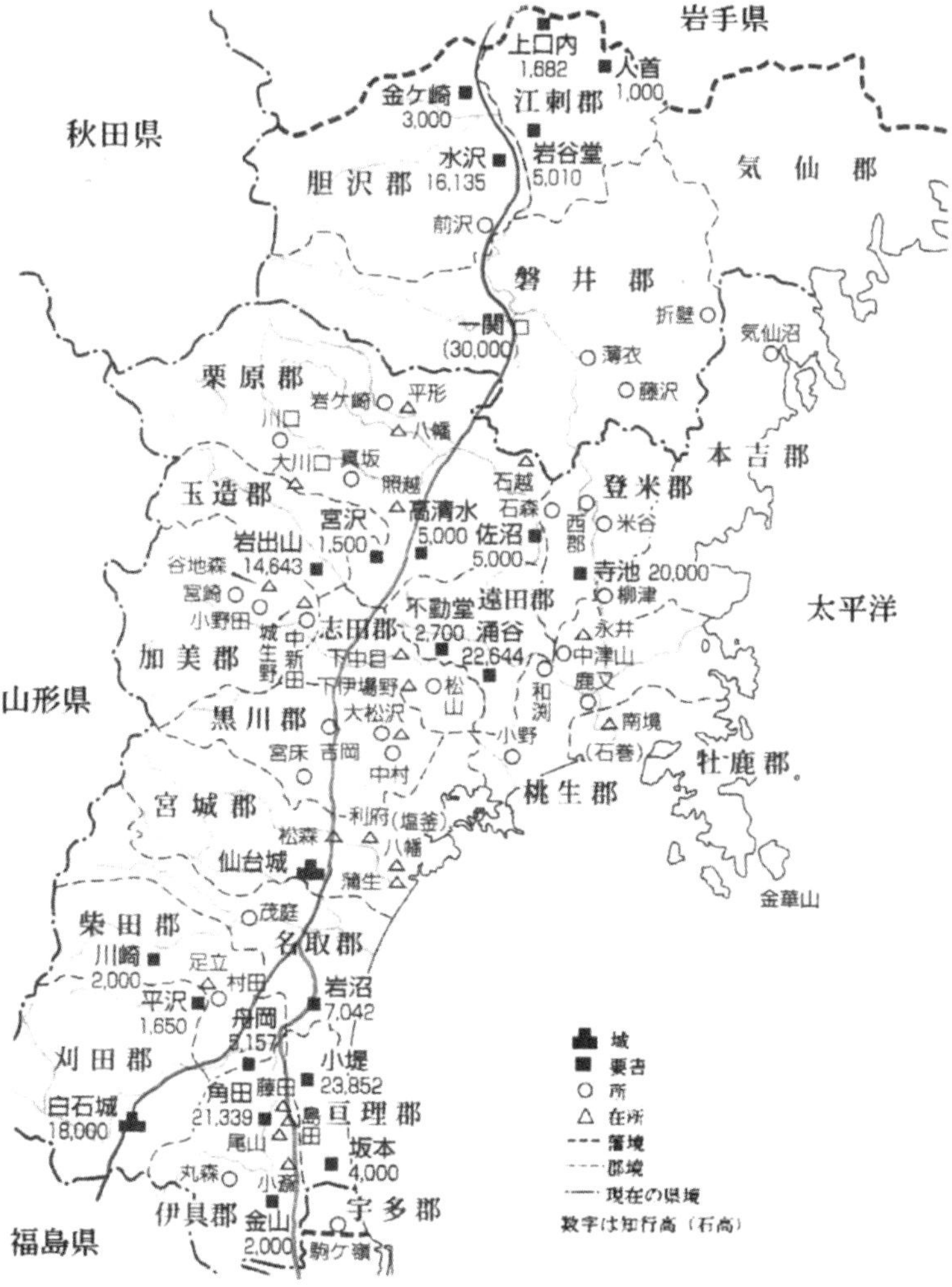

郷土の偉人たちが生きた時代

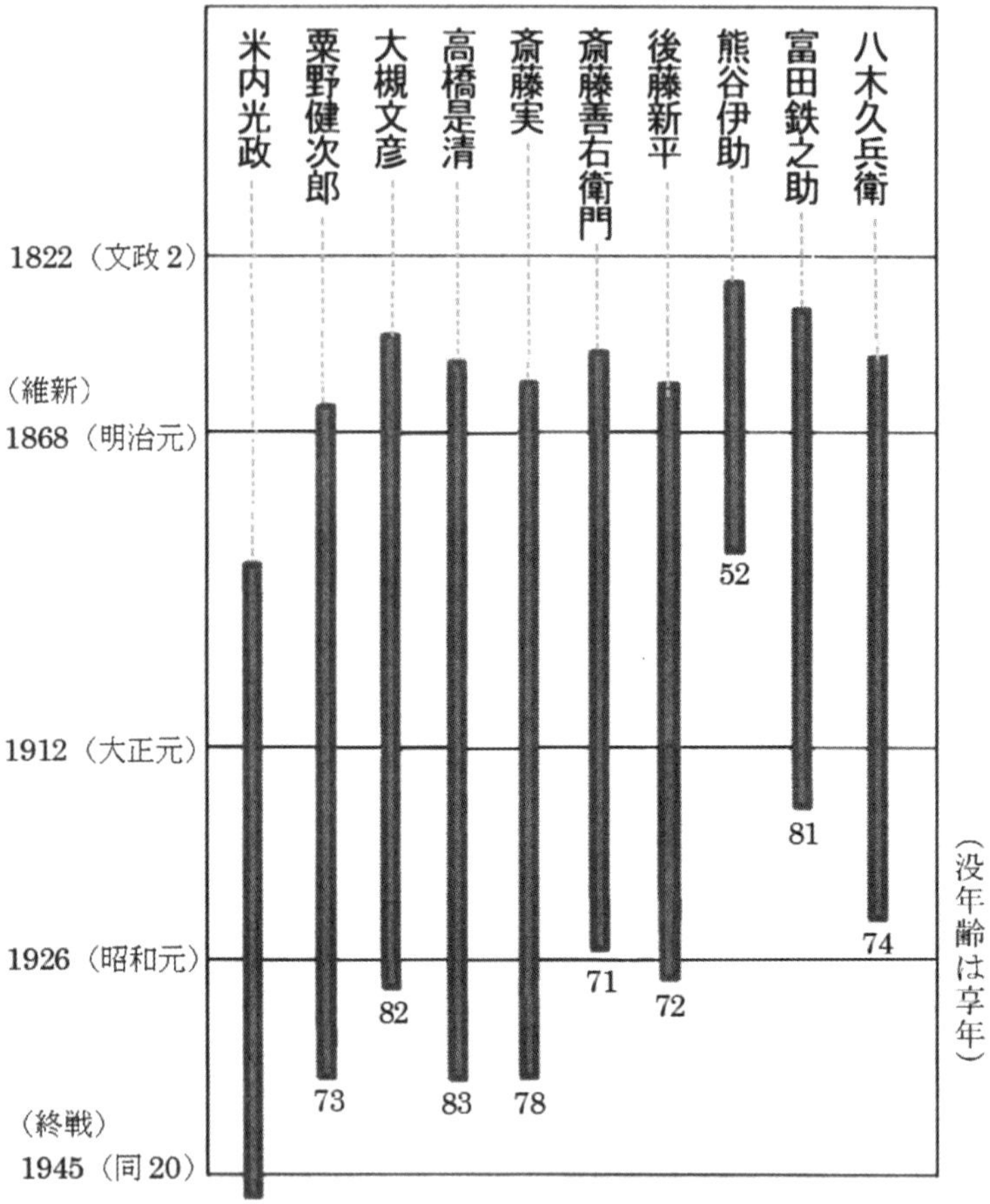

（作成・古田義弘）

目次

鬼瓦

八木久兵衛（やぎ・きゅうべい）

動物公園正門前にある八木久兵衛像

▼貴族院（きぞくいん）

衆議院と並んで、大日本帝国憲法下の議会を構成した機関。最初、皇族議員、華族議員、勅選議員を構成員として発足。皇族男子は成人とともに世襲し、華族（公・侯・伯・子・男）は任期七年。勅選議員には勲功や学識、高額納税者の互選によるものとある。

1　一代で財を築き、地域に貢献

八木家四代久兵衛は、江戸末期の一八五〇（嘉永《かえい》三）年三月、仙台大町の「紅久《べにきゅう》」の次男として生まれる。享年七十四歳。初代は丹波国八木村（現京都府）の人で、宝暦《ほうれき》年間（一七五一～一七六四）に仙台に移り商売を始めたといわれている。明治になって紅久に大きな富をもたらしたのは、四代目久兵衛だった。（以下『八木山物語』参照）

まず、『仙台市史』からみると、「氏は明治二十一年、市議会議員となり、かつ財界の重鎮《じゅうちん》として宮城殖産、七十七銀行の頭取に挙げられ、同三十八年仙台商業会議所（現商工会議所）会頭として実業界に貢献するところ多く、大正七年貴族院議員に当選、のち数多くの公職を辞して七十七銀行頭取のみに専念し財界のために手腕を振るう」「一代にして巨富を築き」との表現も市史にみられる。

4代目八木久兵衛

▼ベーブ・ルース（一八九五～一九四八）

米国のプロ野球選手。最初にアメリカ野球界殿堂入りを果たした五人の中の一人。本塁打五〇本以上のシーズン記録を初めて達成。一九二七年に記録したシーズン六〇本塁打は、一九六一年MLB最多記録。「アメリカ球界最大の巨人の一人」と評された。五十三歳で没。一八九五年生まれ。一九三五年に現役を引退するまで七一四本のホームランを記録した。

5代目八木久兵衛

さて、ここで仙台の素封家《そほうか》・八木久兵衛（六代まで襲名《しゅうめい》）を語る時には四代目、五代目の話が中心となる。それは四代久兵衛が一代で巨額の財を築き、仙台経済界の頂点を担うことになる。

四代目の遺志を継いだ五代目久兵衛は、十数年かけて仙台近郊の越路山《こえじやま》等を開発する。獣道《けものみち》しかなかった山へ上る二本の幹線道路と吊り橋を架け、高台にはアメリカの有名野球選手ベーブ・ルースが来て試合した野球場や陸上競技場、遊園地、公園を完成させた。丁度昭和初期の世界恐慌《せかいきょうこう》の最中、現在の金額にして約四、五十億円を超す私財を地域のため湯水《ゆみず》のように使った大事業だった。これに土地代を含めるとしたら約百億円位になるのではないかとも推計される。しかも完成後は道路も諸施設もそっくり宮城県や仙台市に寄付してしまう気前の良さだったので、普通の人には出来ることではない。

久兵衛は「富は神から委《ゆだ》ねられた神聖なものとの信条から、惜しげもなく私財を学校・図書館・科学研究・社会事業等に投じた。

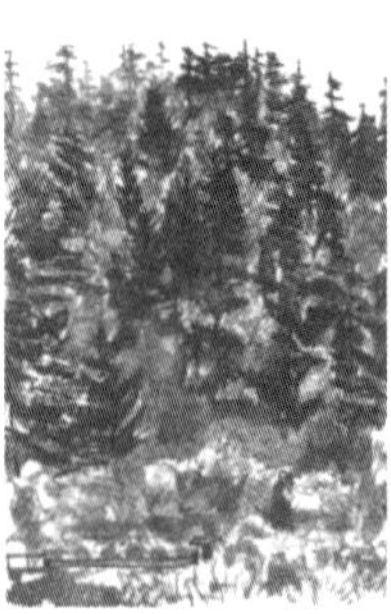

藩政時代の八木山は、こうした森が広がっていた

2. 江戸で仙台味噌醸造　国鉄株で大儲け

久兵衛は江戸で「仙台味噌」の製造、つまり味噌醸造業を始めて財を成したことが定説となっている。仙台味噌は、上方の「白味噌」に対して「赤味噌」で、「三年味噌」とも言われている。仙台藩江戸屋敷に勤務する武士三千余人のために藩がここに味噌醸造所を造ったのが起源という。

明治維新で仙台藩は解体された。こうなると経済的自立のため、江戸の醸造所が大きな意味を持ってくる。某書によると、伊達伯爵《はくしゃく》家は、御家再興のために藩のお金をここに移し、伊達家直営の仙台味噌醸造を始めた。しかし、事業は長くは続かなかった。明治十八年頃、久兵衛と仙台の財界人岩井源兵衛の二人に、醸造所がそっくり委譲されることになった。

久兵衛が東京と仙台で始めた味噌造りは大当たりした。東京品川の伊達家の江戸屋敷の一部約二千坪を買い取り、明治以来「仙台味噌」の伝統を守った。仙台でも約七千坪の屋敷を購入し、仙台味噌を造って家運を上げた。

話は、四代目久兵衛が財を築いた「株」に移ることにしよう。一代で巨額の富を得た大きな要因は「国鉄株」の値上がりだったという。明治中期の鉄道史から

▼仙台味噌（せんだいみそ）

伊達政宗が朝鮮出兵に持参した味噌が、夏場でも腐敗しなかったため、他の武将に乞われて分け与えたことから有名になったとの説がある。第二代忠宗の頃より、江戸大井の仙台藩江戸屋敷で士卒の経営を引き継いだ佐藤素拙によって醸造・販売が行なわれ、またその製法が東京府内の味噌製造者に伝わり、「仙台味噌」の名が東京市場に風靡したと言われる。第二次大戦後は長野県のマルマンが早醸法を開発し、それが信州味噌の製造法とともに関東地方に普及したため、戦前のような占有率を維持できなくなった。

▼仙台藩の江戸屋敷

藩政時代の諸藩が江戸幕府により下賜された江戸における屋敷。上屋敷には江戸における藩の政務を執る場所、及び参勤中の大名の居住所となる屋敷。①桜田屋敷（上屋敷）日比谷公園周辺、②桜田屋敷（本屋敷）上屋敷と隣接、③愛宕下屋敷、④芝口海手屋敷、⑤山下門内屋敷、⑥麻布屋敷、⑦高輪台屋敷、⑧麻布

屋敷、⑨麻布六本木屋敷、⑩品川大井屋敷、⑪大崎袖ヶ崎屋敷、⑫宇田川町屋敷、⑬木挽町屋敷、⑭南千住小塚原屋敷、⑮深川屋敷

▼国有鉄道（鉄道国有化）

一八八一（明治十四）年に私設鉄道として、日本鉄道会社（今のＪＲ東日本）が誕生するが、二十五年後の一九〇六（明治三十九）年に、鉄道国有法により会社は国に買収されることになる。

様々な施設が集まる八木山一帯

も久兵衛の強運ぶりが伝わってくる。

明治になって、近代化を急ぐわが国は、必然的に富国強兵策をとることになる。鉄道は官営か民営かで論争がわき、結局、民間から出資を募る私鉄方式をとることになった。民間による鉄道会社は明治十四年に誕生、これが二十五年後（明治三十九年）、国に買収され、国有化される。これが国有鉄道の始まりである。当時の株主には、旧藩主、実業家などそうそうたる人たちが名前を連ねていた。設立当初の株主名簿に宮城県令分として十九人が載っており、久兵衛は上位三人の中の一人として、二百九十九株所有していたという。

日本初の鉄道会社がスタートした当初は、海のものとも山のものとも分からない鉄道株を一般の人は敬遠したようだが、久兵衛は東京の兜町《かぶとちょう》に使用人二人を派遣して、国有鉄道株を買い漁《あさ》ったと言われている。国が民営株を買収する頃には大株主になっていた。つまり、株で大儲《おおもう》けしたことになる。しかし、久兵衛はその後、二度と株には手を出さなかったようだ。株で大儲けしたことは、神仏から与えられた一生に一度の機会と考えていたことに他ならない。

▼八木山の吊り橋

吊り橋完成後、橋の掲示板に次のように書かれていた。「コノ橋ハ長サ六十間、幅二間、水面カラノ高サ二百尺、昭和六年二月起工、同年八月竣工」。メートル法では長さ一〇九・二メートル。幅六メートルとなる。

八木山の吊り橋（初期）

3. 旧仙台市電や八木山吊り橋も寄付

四代目久兵衛の「七癖《ななくせ》」の一つは、寄付することだった。〝貧者の一灯《いっとう》〟どころかリッチマンのそれはスケールが違う。久兵衛が仙台市に寄付したものとして、第一に「市営電車」、第二に「吊り橋」と「八木山公園」を挙げることができる。いずれも四代目久兵衛の死後、後を継いだ五代目久兵衛の頃に日の目を見ることになる。

仙台市営電車が開業したのは、一九二五（大正十五）年、四代目久兵衛の没後三年目のことである。市電開業時の路線は仙台駅前から西公園までと、仙台駅前から荒町までの計三・二キロ。路線は次々に拡張され、一九二八（昭和三）年には循環線ができ、さらに循環線と接続する原町、八幡町、長町、北仙台の東西南北方面への路線が延長される。また、循環線の南町通りから芭蕉の辻（日銀仙台支店前）までの五百メートルの盲腸線も引かれたが、利用者が少なく、結局廃止された。実はこの線は海自宅前まで我田引水《がでんいんすい》とも言われた。それにしても四代目久兵衛は、この仙台市電事業に当時のお金で十五万円の大金を寄付申し出ていた。仙台でも、けた違いの奇特な人だった。

一九二七（昭和二）年に東北で初めてのラジオ放送が開始され、活動写真（映画）が大衆娯楽の王座を占めるようになる。一九二六（大正十五、昭和元）年、市電が走り出し、市民散策の場所として桜ヶ岡公園（西公園）や榴岡公園などの整備が進んだ。こうなると、八木山も市民の憩いの場として脚光を浴びてきた。天守台まで汗をかきながら登っても、あとは行くところがなかった。

竜ノ口渓谷に橋があればいい、という声が大きくなってきた。そこで五代目久兵衛は道路を造り、橋を架《か》けようと考えた。川内を経て仙台城から竜ノ口をまたいで、八木山に行くためには、第二師団の敷地を通らなければならない。そこで、八木家と第二師団との間で話し合いの結果、諸経費をすべて八木家で負担することで、道路と橋は「軍用道路」とし、維持管理は仙台市の責任で行なうことで条件に許可が下りた。

当初橋はあくまでも軍用道路ということだった。橋は戦後架け替えられ、一九六四（昭和三十九）年に完成した。長さ百七十七メートル、幅八・五メートル。二番目の橋などの総工費は一億一千万円。因みに久兵衛の造った橋の費用は四万円。取り付け道路造成、トンネル掘削にさらに四万円かかった。この分も勿論八木家が支払う。今では市民に欠かせない観光道路であり、市民の通勤道路として利用されている。

▼竜ノ口渓谷（たつのくちけいこく）

仙台城跡の置かれた青葉山は、南は二十五間（約四五・五メートル）の竜ノ口渓谷、北は広瀬川で峻別（しゅんべつ）された。ただ、開けた東側も三十六間（約六五・五メートル）の断崖、残る西側も深い山林で、人馬の通行は困難だった。

▼第二師団（だいにしだん）

富国強兵に突き進んでいた明治期の日本は、海外出兵を意識した軍事力の充実・拡大のため、師団割を採用。一八八六（明治十九）年、師団番号が定められた。仙台鎮台は第二師団を称された。

八木山神社

大正15年開業の仙台市電（仙台駅前）

ベニーランドの正面入り口

4．野球場など八木山総合開発へ

四代目久兵衛が一九四〇（昭和十五）年、仙台田町（現五橋）の別邸で、七十四歳で逝去。その遺志を継いだ五代目久兵衛は八木山の総合開発へと進む。一九二四（大正十三）年、仙台藩士八百四十人の共有林が荒廃のまま放置してあるのを惜《お》しみ、所有者同士の裁判絡みの山林を一手に買い取り、巨額の資金を投じて八木山の総合開発が始まる。グラウンド、道路、橋を架けて開発、市民の遊園地に提供。一九三八（昭和十三）年、そのうち遊園地、道路、橋等で約六万坪を仙台市に寄付した。また、旧宮城県仙台女子専門学校（現県立向山高校）・向山小学校等の敷地約一万坪を宮城県・仙台市に寄付している。

今はもう幻となった八木山球場は、八木家がお金に糸目をつけずに造ったという。一九二九（昭和四）年に完成。かつて河北新報の紙面に「東洋一来仙。を誇る八木山球場」という表現で紹介された。同年六月の開場式には、珍しさもあって、二万三千人が詰めかけたと新聞にある。八木家から宮城県に寄贈され「県営八木山球場」と命名された。同年秋には米国ミシガンチームが来仙。

一九三一（昭和六）年十一月には、日米野球大会、同九年には米国の野球王

▼八木山球場（やぎやまきゅうじょう）

一九二九（昭和四）年に完成した「東洋一を誇る八木山球場」（河北新報紙面）は、「球場の周囲に土手を盛り、コンクリートの枠をもってインクローズドし、バックネットには二階建ての貴賓室を設け、一、三塁側には十五段の木造スタンドを巡らし、収容人員は二万人と称した。球場の広さはグラウンドとスタンドの部分がほぼ同じで、各五千坪。両翼は百メートル前後。中堅は百五十メートル前後となり、改築前の宮城球場を一回り大きくした広さになる。

東北一を誇った八木山球場

ベーブ・ルースがこの球場で二本のホームランを放っている。今、八木山動物園内に同氏の銅像が建っている。試合は、ハーバードのハンターの率いる全米野球団と全明治大で行なわれた。

元仙台市長の藤井黎《ふじいはじむ》さんは、八木山地区は仙台の文化地区と呼んでいた。東北放送、東北工業大学、仙台城南高校、向山高校、動物公園、野草園等々、少しエリアを広げると川内の仙台市博物館など、確かに宮城県内のどこにもこれだけ集中して文化施設がある地域はないだろう。八木山に東北放送会館が完成したのが一九八三（昭和五十八）年。それ以前は現在の錦町公園の場所にあったレジャーセンター内に第一・第二スタジオのほか調整室などもあった。著者（古田）は、八木山のスタジオで三十五年間、ラジオ番組の放送でお世話になり、また仙台放送の旧放送スタジオ（太白区大年寺山）でも約十三年間、テレビ放送でお世話になった。その意味でも八木山地区は、著者にとって第二のふるさとそのものとなっている。

今では仙台市地下鉄東西線が開通し、仙台赤十字病院も移転し、八木山はかつては市内有数の高級地区と言われた。八木久兵衛さんが思い描いた八木山開発の構想は、大きく花開いたと言っていいかもしれない。

5．八木山開発は有終の美、神仏のお陰

一九六五（昭和四十）年秋には、八木山運動場一円（八木家が昭和初期に造って県や市に寄付した野球場、遊園地、公園を指す）も市動物公園となり、錆《さ》びついた吊り橋は壮麗な永久橋になって、一躍現代的な八木山に生まれ変わった。

八木家では、一九六六（昭和四十一）年頃から、新しい観点から遊園地建設に乗り出す。目標は、①手弁当でも楽しめる場所　②青空と緑の共生の上に大の字になって休める場所　③動物公園と合せて一日コースで遊べる場所であること。これらの企画を実現させたのが、ベニーランドの誕生であり、久兵衛の夢でもあり、八木山の現代化である。

八木山ベニーランドは、一九六八（昭和四十三）年春の開業で、場所は動物公園の真ん前。広さ三万坪を持つ、東北地方で初めての総合遊園地である。北側は深さ七十㍍の竜ノ口渓谷、谷を挟んで向かい側は観光地の仙台城跡。周りは手付かずの林が残っており、一部は仙台市内中心部や蔵王山系、太平洋まで眺望できる家族で楽しめる遊園地と言えよう。

なお、現在の八木山地域には、広大な住宅団地が広がり、東北放送、東北工業

▼仙台赤十字病院（せんだいせきじゅうじびょういん）

一九八二（昭和五十七）年、清水小路（現在の五橋二丁目）から八木山に移転。総合病院として約二十五の診療科とベッド数三百九十床があった。

▼国有鉄道（鉄道国有化）

一八八一（明治十四）年に私設鉄道として、日本鉄道会社（今のＪＲ東日本）が誕生するが、二十五年後の一九〇六（明治三十九）年に、鉄道国有法により会社は国に買収されることになる。北海道鉄道、関西鉄道、山陽鉄道、九州鉄道など全国十七社の私鉄が翌一九〇七年までに国有化された。

大学、県立向山高校（旧宮城県女子専門学校）などがある文教地区の顔もある。地域最大の総合病院である仙台赤十字病院も住民の医療を担っている。仙台市地下鉄の西の始発駅である八木山動物公園駅が設置されるなど、久兵衛が想像していたであろう姿をはるかに上回る住環境が整備されている。神仏の信仰篤《あつ》い代々の久兵衛は、奥州一ノ宮である塩竈神社（塩竈市）など数多くの神社仏閣に諸々の寄付をしている。一九一九（大正八）年、荒巻神明を現在の西公園に移し、社号を桜岡大神宮と改めた。中でも五代目久兵衛は人一倍信心深く、西多賀の多賀神社（平安時代の建立）においては、本殿・拝殿・参道を新しくセットで寄進したという。

　市内随一のサクラの名所となっている三神峯公園（太白区三神峯）は、全国からサクラの苗木を集めて植樹し、公園化している。こうした久兵衛の街づくりに果たした功績は数多い。そうした思いはどこから生まれたのかと考えると、神仏に対する信仰心が人一倍強かったからではないだろうか。

　八木家四代目久兵衛は一代で財を成し、それを五代と二代にわたって宮城県民、仙台市民のために物心両面で加護してくれた仙台市民第一級の偉人と言えよう。

▼三神峯公園（みかみねこうえん）

　青葉山丘陵の南、仙台市太白区三神峯の台地に設置された都市公園。標高は約七〇㍍。仙台市内で最も多いサクラの木が植樹されている。市内有数の花見の名所。近代以降は仙台台陸軍の幼年学校、戦後は旧制第二高校の校舎、東北大学教養部の校地に利用された。東北大学が川内に移転後は、一九六七（昭和四十二）年にキャンパス跡地に仙台市の都市公園として三神峯公園が設置された。昔は西多賀神社の境内の一つだった。

▼旧宮城県女子専門学校

　一九二二（大正十一）年に現在の若林区連坊一丁目にあった、宮城県第二高等女学校（現仙台二華高）の校舎の中に高等科が併設された。一九三二（昭和七）年に新しい校舎が向山に建設され移転、一九五一（同二十六）年に学制改革で東北大学と合併。女専の敷地は、その後国立電波高専、そして現在は県立向山高校となっている。

富田鉄之助（とみた・てつのすけ）

1. 幼少期は体質強健、頭脳明晰

富田鉄之助（とみた・てつのすけ）（一八三五〜一九一六）は、仙台藩士富田鉄保の四男として、仙台の良覚院丁《りょうかくいんちょう》に生まれる。享年八十一歳。

富田家は、仙台藩の「着座」の家柄であり、その「在所」は桃生郡小野村（現東松島市小野）にあった。重臣としては末席に属するが、富田家の知行高は二千石で、上から数えて二十七番目に当たっている。「在所」というのは、自己の領地で、ここから知行を取り立てる。着座以上の重臣は「在所」のほか、藩主の居城がある仙台にも邸宅を持っていた。

富田家の始祖は、元来会津の出で、葦名家に仕えた四家老の一人であり、三万石の大身だった。しかし、父氏繁の代になって伊達政宗に仕えることになる。

▼着座（ちゃくざ）
仙台藩家臣格第六位で、毎年元旦の賀礼に登城して、藩主に太刀・馬代目録を献上し、各班列をもって座につき、藩主から盃を賜るものをいう。

▼在所（ざいしょ）
在所拝領、町場ではなく、農村に屋敷・侍屋敷・足軽屋敷・山林を藩から給与されること。つまり農村に屋敷を構えていること。

▼葦名家（あしなけ）
戦国時代の武家。盛氏は会津黒川城主。佐竹義重と争い、葦名氏の全盛時代を築く。

富田鉄之助

鉄之助は、体質強健・頭脳明晰で、幼少時からその前途を嘱望される存在であった。まず、一八四四（天保《てんぽう》十五）年、十歳の時から藩の儒臣《じゅしん》・氏家省吾について漢学を修めた。十七歳の時、馬術・槍術・剣道・居合術《いあいじゅつ》・弓術をそれぞれ学んだが、師匠はいずれも感嘆したという。この間、蘭学を学んだ。ペリーの黒船が浦賀に来たのが一八五三（嘉永《かえい》六）年のこと。それから藩命により江戸に上り、一八五六（安政《あんせい》三）年、二十二歳の時、真田喜平太の門に入って西洋砲術を修め、真田喜平太の師に当たる下曾根金三郎の道場で修業した。

一八五七（安政四）年、二十三歳になった鉄之助は仙台に戻り、西洋兵法調錬式場西洋砲術教授に命ぜられる。

一八六二（文久《ぶんきゅう》二）年、二十八歳の時、蒸気機関並びに海軍術の修業を命ぜられ、翌一八六三年に再び江戸に上り、赤坂にある勝海舟の氷解塾《ひょうかいじゅく》で学ぶ。これが勝海舟との初の出会いで、富田の一生に深い影響をもたらした。

▼蘭学（らんがく）
江戸中期以降、オランダ語によって西洋の学術を研究しようとした学問。享保（きょうほ）年間（一七一六～一七三六）、幕府の書物奉行が訳読したのに始まり、前野良沢・杉田玄白・大槻玄沢ら多数の蘭学者が輩出。また、シーボルトの寄与が大きかった。医学から天文学・博物学・兵学・化学などの学術にまで及んだ。

▼真田喜平太（さなだ・きへいた）（一八二四～一八八七）
大坂夏の陣での真田幸村（さなだ・ゆきむら）の子孫。幸村から十代目家祖（宮城県刈田郡蔵王町）。仙台藩の藩講武場（練習場）で西洋砲術指南役の兵法師範。

▼勝海舟（かつ・かいしゅう）（一八二三～一九〇九）
旧幕府軍の軍事総裁。幕臣で海軍奉行。西郷隆盛との会見で江戸城無血開城を果たし、新政府軍との交渉の前面に立つ。

勝海舟

2. 勝海舟の子、勝小鹿《ころく》の随員として渡米

一八六七（慶応《けいおう》三）年、京都に滞在していた富田に、至急江戸に戻るよう、仙台藩江戸奉行所から命令が達せられた。

それは、富田の師である勝海舟の子息、勝小鹿《ころく》（十三歳）が米国に留学することになったので、鉄之助にその随行を命じ、かつ仙台藩が学費を給与するというのである。幕府の公許《こうきょ》を得て留学することは、前例のないことで、しかもこの留学生の一人として鉄之助が選ばれたのは、勝がよほど鉄之助の人物を見込んでのことであろうことは想像に値する。その時、同じ氷解塾の塾生だった庄内藩士・高木三郎も同行することになる。

仙台藩から富田に支給された学費は、一ヵ年千両であったが、富田の学費支給に尽力したのは、仙台藩江戸藩邸詰の大童信太夫で、彼は富田の三年年長に当たり、福沢諭吉と親交を結ぶなど、時世の変化に目覚めた先覚者の一人であった。

ちなみに富田の乗ったコロラド号には、高橋和喜次《わきじ》（後の高橋是清）・鈴木六之助の両名が、仙台藩を脱藩同様の形で乗り込んでいた。高橋は足軽の養子で、船

▼高木三郎（たかぎ・さぶろう）（一八四一～一八九九）

庄内藩士の子として生まれる。江戸幕府の軍艦操練所に入学し、慶応三年アメリカに留学。富田鉄之助とともに一時アメリカに居住。留学後はアメリカに留まり、駐米日本公使館（一時雇）、帰国後外務省出仕。公使の森有礼の帰国に伴い、森が担当していた日米郵便交換条約交渉の任を継続し条約の締結を果した。

▼大童信太夫（おおわらわ・しんだゆう）（一八三二～一九〇〇）

仙台藩江戸留守居役。福沢諭吉が渡米する時、多額の資金を扶助し帰国後大成させる。開国和親派で、勝海舟や福沢諭吉などと幅広い人脈を駆使し、軍艦の購入にも奔走して戦備の確保に努め、幕府との交渉に当たった。

中では富田から与えられた小遣い銭を酒代に当てたり、奔放《ほんぽう》な人であったという。渡米後は金もなく、奴隷《どれい》に売られそうになったりした。帰国後は、日本銀行総裁・大蔵大臣・内閣総理大臣（二・二六事件で暗殺される）となり、一方の鈴木は帰国後、第一高等学校教授を経て日本銀行出納長となる人である。人の運命の不思議さを感じるものである。

第一回目の米国滞在中、戊辰戦争の勃発で徳川幕府は崩壊。富田は安心して毎日を過ごすことが出来なかった。仙台藩から学費を供与されている者が、故国の争乱をよそに悠々《ゆうゆう》勉強するわけにはいかないという気持ちで、一時帰国した。

日本に上陸した翌日、勝海舟に面会して、帰国の理由を話したところ、勝は憤慨として不心得を諭《さと》した。そして、今後の日本のとるべき方針等を説明し、最後に、もし米国で再度留学を望むならば、その費用はもはや藩から支出されないだろうから、自分（勝）が代わって旅費（千厩の熊谷伊助が大半を負担?）を給する、と申し出たという。それから明治七年までの六年間、富田の第二回目の米国滞在が始まる。

▼福沢諭吉（ふくざわ・ゆきち）（一八三五～一九〇一）

近代日本を代表する啓蒙思想家。慶応義塾の創始者。大阪の緒方洪庵の適塾に入門、蘭学を学ぶ。文久二年、幕府遣欧使節に随行し、帰国後幕臣となる。出版事業にも意欲を見せ洋行経験を背景に『西洋事情』三巻発行。西洋への目を開かせる巨大な力となった。著『学問のすすめ』等。

▼足軽（あしがる）

平常は雑役に従い、戦時は歩卒となる者。戦国時代には弓・鉄砲の訓練を受け、部隊を編成した。江戸時代には武士の最下位で雑兵（ぞうひょう）とも呼ばれた。徒同心（かちどうしん）。仙台藩の下級家臣の内訳には、旗本足軽・在郷足軽・杉守・諸職人・坊主・絵師諸職人・小人等がいた。

▼戊辰戦争（ぼしんせんそう）

一八六八（慶応四、明治元）年から翌年まで行なわれた新政府軍と旧幕府側との戦いの総称。鳥羽伏見の戦い、会津藩との戦争、箱館戦争なども含む。戊辰の役。

▼岩倉具視（いわくら・ともみ）（一八二五～一八八三）
維新期の公家出身の政治家。ひそかに廷臣（朝廷に仕える役人）や大久保利通など薩摩藩士らと交わって、倒幕の秘策を練る。新政府の中心人物となる。

▼大久保利通（おおくぼ・としみち）（一八三〇～一八七八）
明治維新の指導的政治家。王政復古の大号令などの政治的過程で、岩倉具視とともに指導的役割を果たす。旧内務省の創設、工部省との体制の中軸となった。

▼伊藤博文（いとう・ひろぶみ）（一八四一～一八九九）
初代内閣総理大臣。公爵。尊王攘夷派から開国派へ。松下村塾で吉田松陰に学び、尊皇攘夷運動に参加。高杉晋作（木戸孝允）らの知遇を得た日本最初の政党内閣の実現に貢献した。

3. 岩倉使節団の通訳、外交官・大蔵官僚

一八六九（明治二）年、戊辰戦争《ぼしんせんそう》後の新政府は、海外の新知識を導入して文明開化を推進するため、優秀な人材を登用することになり、富田は改めて国費留学生となり、学費を支給されることになった。

一八七二（同五）年、岩倉具視使節団が訪米することになった。その時、滞米中の富田は大久保利通や伊藤博文の通訳を務めることになる。その活動と才能が目にとまり、藩閥を超えて、翌一八七三年二月、明治政府のニューヨーク副領事に大抜擢《だいばってき》される。そこで、多くの日本人留学生の世話をした。

外交官としての富田の進路を定めたのは、すべて森有礼とも言える。森は、日本に内閣制度が出来た時、伊藤博文内閣総理大臣の元で、長年にわたり文部大臣をした人であり、一八九〇（明治二十三）年の憲法発布の当日、暴漢《ぼうかん》に襲われて現職の文部大臣のまま逝去《せいきょ》した。森は鹿児島出身であったが、幕末から明治維新の際、若くして英国に留学していた関係から、いわゆる薩長藩閥意識が少なく、当時としては極めて進歩的な人物であった。一八七一（明治四）年、米国公使として赴任し、

▼森有礼（もり・ありのり）（一八四七〜一八八九）
政治家。薩摩藩士。幕末、欧米に留学し、新政府に入る。文相となり、学校令の公布など教育制度の基礎を固める。欧化主義と見なされ、国粋主義者により暗殺。

▼為替（かわせ）
遠隔地間において、現金の輸送を伴わずに手形の輸送のみで送金と代金の取り立てを共に決済する制度。上方と江戸間のほとんどの為替取引はその下で行なわれるようになった。京都の糸問屋から関東、東北の荷主への前貸金供与も為替送金されている。

留学生としての富田鉄之助を知って以来、富田の人格・力量を認め、終生富田を引き立てる役割を果たした。特別全権大使として米国に来た岩倉具視に富田を推薦して、ニューヨーク在留中に心得とした（明治五年）のも森であったし、その後、一八八一（明治十四）年十月、富田が大蔵省に転ずるまで、外交官としての富田の進路を定めたのは、すべてこの人であった。

富田が三年ぶりに米国から帰国して間もなく、清国公使（現中国）、その後二度帰朝し、一八七八（明治十一）年英国公使一等書記官としてロンドンに赴任。世界で最も進んだ経済金融組織を持った英国の実情を勉強するには、またとない機会を得られたものであり、米国在留十年の経験を踏んで、富田をもって日本の新しい知識的基盤を形成させ得るものであった。

日銀総裁を辞任した背景には、薩長出身者が財界を独裁する中で、正論を押し通す朝敵仙台藩の富田に対する反感は強く、薩長閥の犠牲になったと言われる。

『日本銀行八十年史』には「出色の総裁」と評価され、総裁辞任に当たり、政府は五万円の功労金を贈ることにしたが、「功なくして賞を受けるは悪例なり」として辞退したという。

金銭的には極めて恬淡《てんたん》とし、恩給などすべて断り、生涯清廉潔白《せいれんけっぱく》の人であった。

もともと富田は、総裁就任に大いに二の足を踏んだとされる。従って、総裁の地位にさしたる未練を持つものではなかったようである。そして富田を総裁に推薦した中心が、松方大蔵大臣ではなく、伊藤内閣総理大臣や森文部大臣であったことは容易に想像できる。伊藤博文は、在米当時の富田の人物にほれ込んで、外務省ひいては大蔵省に富田を推薦したこと、また森有礼の相許《あいゆる》す仲であったようだ。

富田鉄之助の郷里に対する関心の高さも多々伺える。その一つは戊辰戦争での戦没者に対する想いである。戊辰戦争での弔魂碑を建立すべく、郷土支援会「同求社」を組織して、大童信太夫《おおわらわしんだゆう》ら有志と共に、一八七七（明治十）年、仙台の瑞鳳殿境内に千二百六十人の霊を慰める「仙台藩戦没者の弔魂碑」を建てた。

また、一八八一（明治十四）年、大槻文彦と郷土の復興と旧仙台藩の人材育成を願って、高橋是清《たかはしこれきよ》、八木久兵衛《やぎきゅうべい》、藤崎三郎助《ふじさきさぶろうすけ》ら十数人の協賛により、高等教育を学ぼうとする在京学生を支援する奨学制度「仙台造士義会」を創設した。鉄之助は初代会長となり、二代目は大槻文彦が就任した。

▼松方正義（まつかた・まさよし）（一八三五～一九二四）
明治・大正期の政治家。公爵。大久保利通の知遇を受け内務卿（ないむきょう・内務長官）、大蔵大輔（おおくらたいふ・次官）など歴任。日本銀行を設立。内大臣、枢密顧問官（天皇の最高諮問機関）など歴任。

▼弔魂碑（ちょうこんひ）
戊辰戦争の弔い合戦による戦死者の霊を慰めるために建てられた碑。

▼瑞鳳殿（ずいほうでん）
仙台市青葉区霊屋下にある仙台藩祖伊達政宗公が眠る霊廟。参道には老杉の巨木が立ち並んで静寂な空気を醸し出している。

▼大槻文彦（おおつき・ふみひこ）（一八四七～一九二八）
国語学者。磐渓の三男。文部省から日本語辞書の編纂を命ぜられ、『言海（げんかい）』（のち増補・訂正して『大言海』を完成。著『広日本文典』『口語法別記』など。

4. 一橋大学創立・東京府知事・貴族院議員

富田鉄之助は、英語学校の必要性を感じていたところ、滞米中知り合った京都同志社校長の新島襄から、仙台に分校をつくり、日本基督教《きりすと》会の拠点を築きたいと相談された。富田は宮城県知事・松平正直と図り、初代仙台区長（理事長）松倉良輔、大童信太夫、遠藤敬止らの協力を得て、一八八六（明治十九）年九月、男子学校「宮城英学校」を創設して新島を初代校長に迎えた。直接の経営は副校長の市原盛宏が当たり、生徒数百三十人の男子私立学校であった。翌年、万葉歌人の大伴家持《おおとものやかもち》から取って東華学校と改称して中等教育校となった。

その流れは、県立第二女子高等学校（平成二十二年から県立二華高等学校）に、創立の伝統は旧制仙台第一中学校（現県立仙台第一高等学校）へと受け継がれている。それぞれの学校からは、多くの人材を輩出している。

次に、一橋大学と言えば、わが国国立大学の代表的な存在で、多くの優秀な経済学者や経済人を世に送り出している。この一橋大学の前身である商法講習所の創設に当たって、富田鉄之助と森有礼に依る所が大きい。富田は当時、東京府知

▼**新島襄**（にいじま・じょう）（一八四三〜一八九〇）

キリスト教牧師。教育者。同志社創立者。一八六五（元治元）年アメリカ船で箱（函）館から海外に脱出。アーマスト大学卒業。ボストン教会牧師。同志社英学校を京都に創設。一八八七（明治二十）年、仙台に東華学校、翌年同志社大学設立。徳育を基本とする自由教育を掲げる。

新島襄

▼**松倉良輔**（まつくら・りょうすけ）（一八二七〜一九〇四）

仙台藩船将。出入司（奉行）。軍艦奉行となり、新政府軍との決戦を覚悟して横浜へ行き、勝海舟の見立てでアメリカの蒸気船軍艦を十万七千両で購入し、「宮城丸」と命名し、船将となる。初代仙台区長（市長）となる。

▼貴族院（きぞくいん）
衆議院と並んで、大日本帝国憲法下の議会を構成した機関。最初、皇族議員、華族議員、勅選（ちょくせん）議員を構成員として発足し、組織は明治二十二年、貴族院令で定められた。皇族男子は成人とともに議員となった。公・侯爵（こうしゃく）は議員を世襲し、また伯・子・男爵議員は任期七年。勅選議員には勲功や学識によって勅任議員と多額納税者の互選によるものとがある。

富田邸の内部（左）と玄関

事をしており、商法講習所時代は東京府の管轄下にあった時期である。こうした関係もあって、森と富田の合作とも言える学校であった。

　富田鉄之助は、一八九一（明治二十四）年に東京府知事となるが、在任中の最大の功績は、東京府が飲用水施設の衛生管理ができずコレラ発生で約十万人も死亡する事態に悩まされていたところ、政治的に奔走して水源地である三多摩地方を神奈川県から東京に編入して衛生行政を徹底したことである。強硬な反対の中、粘り強く取り組んで完成させ、東京の水源涵養林《すいげんかんようりん》を確保し、今日に至っている。

　富田は、後に実業界に転身して経営に携わり、日本勧業銀行・横浜火災海上保険を設立して社長に就任した。日本国有鉄道や北海道鉄道等の取締役も歴任した。一八九〇（同二十三）年、貴族院議員（七年間）の勅選議員《ちょくせんぎいん》に推されている。

　国に対しての功績が認められたのである。

　これらの他、地元宮城では七十七銀行へのアドバイス、県内はもとより、東北のトップクラスの素封家《そほうか》（資産家）斎藤善右衛門（貴族院議員）の資産形成のアドバイスなど数多い。

仙台藩主四代　幼君亀千代（伊達綱村）の傅守役として忠勤を励んだ富田壱岐氏紹は、家格を着座執政の班に進められ、深谷小野本郷に二千石の領地を賜り、天和二年（一六八二）現在の鳴瀬一中の場所にその居館を構えた。以来小野は、八代小五郎実文までおよそ百九〇年間　富田氏によって治められていた。
八代当主小五郎実文は、戊辰の役に大隊長として活躍した人で、第二代日本銀行総裁・東京府知事を歴任した郷土の偉人「富田鐵之助翁」の甥にあたっている。
富田家は、昭和二十三年六三制実施に伴う新制中学校の用地獲得に苦慮する村当局の窮状を知り、同族会議で協議の結果、新学制発足の記念と郷里の教育進展を願い、その所有地を無償で提供されることとなり、この場所に現在の鳴瀬第一中学校校舎が建設されたのである。
由緒ある、記念の地として後世に永く伝えられるべきであり、ここに記念碑を建立する

財団法人宮城県文化財保護協会
鳴瀬町教育委員会
昭和六十二年十月吉日

旧鳴瀬一中の場所にあった富田氏の屋敷跡に建つ記念碑（右）とその碑文。

5. 世のため、人のために生きた人

鉄之助は、岡千仭《おかせんじん》（儒学者）と信頼厚い交流があり、勉精勤学、人と接するに誠実に律儀、清廉潔白《せいれんけっぱく》を旨とし、古武士の風格があった。信念の人として終始した。

富田鉄之助を敢えて評するならば、次の二点を挙げよう。

①　生涯清廉潔白の人

②　郷土への想いが強かった人

そして、外交官、日銀総裁、東京府知事、実業家等々、我が郷土にとっては第一級の人物と言えよう。

熊谷伊助（くまがい・いすけ）

1．明治の豪商　伊助のふるさとと千厩

熊谷伊助（くまがい・いすけ）は、一八二四（文政《ぶんせい》七）年、喜造妻たねの長男として誕生した。熊谷家の遠祖は大坂方の浪人熊谷丹波といい、江戸初期に千厩《せんまや》宿（現岩手県一関市）の中心十日町（現本町）に店を持った。

伊助は嫡男《ちゃくなん》でありながら、十四歳で仙台の味噌屋に丁稚奉公《ぼうこう》に出る。このため店（日野屋）を継いだのは弟伊兵衛であった。しかし、十九歳頃に大商人を目指して旅立つが、屋号がなければ商売できないため、仙台古手仲間松屋左衛門の仕事を受け千厩を離れる。

その後伊助は、江戸浅草近くの酒屋に奉公し、そこで働きながら生涯の基礎となる英語を修得（宣教師《せんきょうし》から）する。店主の信頼を得て、娘の秋本チカと結婚、所帯を持ち、横浜に唐物と糸の店を初めて開く。この頃から伊助の商売も順調

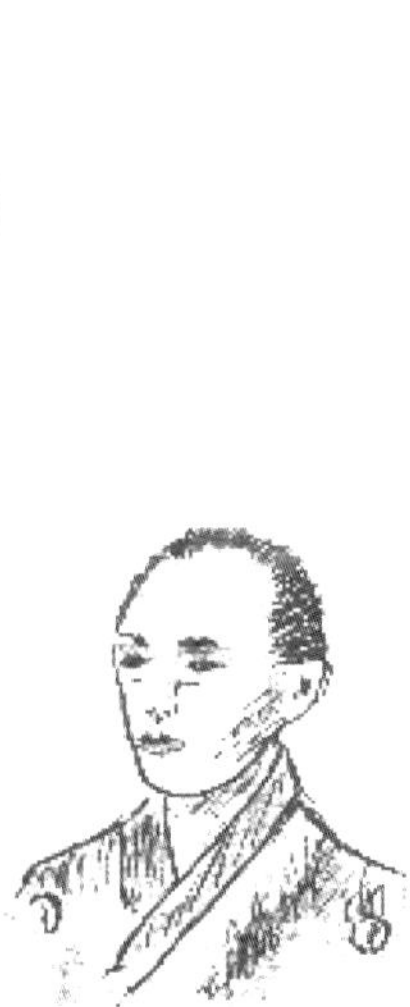

熊谷伊助

▼丁稚（でっち）
商人・職人の家に住み込みで年季奉公し、雑役などに使われる少年の奉公人。商家では、一般に十歳前後の者を親類・縁者や口入屋の紹介で雇い入れたが、それ以外は親・親類らの身元保証証文として請状を取った。十九歳で元服した後は、手代となり、一人前の商家奉公人として扱われた。

▼古手（ふるて）
使い古した着物や道具のこと。これらを扱う商人や店を古手屋という。江戸時代は絹の衣類などは地方の大店での主力商品だった。

▼唐物（からもの）
中国から輸入された品物の総称。室町時代からの唐物趣味から、絵画・陶器などが珍重された。

に滑り出しているように思われる。伊助は千厩の実家に手紙で、生糸の横浜相場の情報や仲買取引の心得を事細かく指図している。その頃、千厩日野屋は益々繁昌し、実家の居家土蔵普請や母の心配をしている。

千厩宿では市日の賑わいや活気が絶頂期に向かっていた。藩政期の千厩地方は穀倉地帯ではないため副業が盛んで、東山和紙・紅花・鋳物《いもの》・煙草《たばこ》、そして生糸などが物産品として知られた。中でも近代日本の輸出産業の花形であった「生糸」(特に東磐産などの奥羽生糸)こそが伊助の財力の源と言える。

2. 黒船ペリーから名刺をもらう

幕末の日本が開国するきっかけとなった〝黒船(蒸気軍艦)ペリー〟来航は、教科書でもよく知られているところだ。一八五四(嘉永《かえい》七)年一月に、前年の浦賀に引き続いて横浜沖に現われたペリー(米国の日本海域艦隊司令長官)が、江戸幕府に早期の条約締結を求め、同(安政元)年三月三十一日に神奈川で、「日米和親条約」(神奈川条約ともいう)が締結された。これにより、幕府は下田と箱(函)館の二港を開港し、二百年以上続いた鎖国は終わりを迎えた。

▼生糸(きいと)

蚕(かいこ)の繭(まゆ)から取った糸。幕末の開国とともに生糸はわが国の代表的な輸出商品となり、明治政府は製糸業を保護・育成した。それに伴い、長野県や山梨県を中心に輸出生糸の生産を主力とする器械製糸が発展した。これに対し、先行していた群馬県、福島県では国内向けを主力とする座繰(ざぐり)が中心の発展をたどった。その後、器械製糸は動力も水力から蒸気に替わり生糸生産の近代化が進展した。

▼紅花(べにばな)

紅花商人は、生花を花市で仕入れ、花を圧搾(あっさく)し、小さく丸めた紅餅(べにもち)をつくり、それを発酵させ乾燥する。最上紅花の場合、梱包された干花は大石川から最上川を下り、酒田で廻船に積まれ、鶴賀、琵琶湖を経由し、大津から京都に運び込まれた。京都で口紅や紅花染めとして製品化された。

▼ペリー（一七九四〜一八五八）
日米和親条約を締結し、「鎖国」日本を開国させたアメリカ海軍の軍人。「蒸気軍艦の父」とも称賛された。一八五三（嘉永六）年、軍艦四隻で神奈川県の浦賀に来航、久里浜で大統領の親書と信任状を日本側に伝達。翌一八五四年、軍艦七隻で横須賀沖に再度来航。横浜応接所で条約締結交渉を行なうことに成功した。日米和親条約を締結し、日本の開国というペリーの主任務は達成された。

ペリー

伊助がペリーからもらった名刺

その時に英会話を会得していた伊助は、直接ペリーから今でいう名刺代わりにサイン入りの鶏卵紙《けいらんし》の写真を受け取ったと伝えられている。この写真は国内に伝わる唯一のペリーの肖像であり、現在は横浜市開港資料館にそのレプリカが保存されているようだが、同時撮影したものが米国議会図書館にもあるという。

一八六〇（安政七）年、朝廷に無断で米国の外交官ハリスと日米修好通商条約を独断で結んだ大老・井伊直弼が桜田門外で暗殺される。江戸市中は攘夷の嵐が吹き荒れるが、伊助の郷里と同じ仙台藩出身で、日本の夜明けをリードした蘭学者・高野長英《たかのちょうえい》、長州藩の思想家で、明治維新の精神的指導者として有名な吉田松陰《よしだしょういん》など、多くの偉人たちが行動を起こした。

伊助が活躍した横浜は、一八五四年に日米和親条約が締結された場所である。人口わずか千人ほどの寒村だったのが、みるみるうちに水田が埋め立てられ、堤防が築かれ、外国人居留地が設けられる。人口は二万人を超え、日本有数の貿易港へと成長を遂げる。一八七二（明治五）年には日本初の鉄道が東京の新橋と横浜間で開通、横浜はますます発展して異文化を取りこむ玄関口となった。

3. 横浜で高島・大倉と並ぶ豪商に

ペリー来航をきっかけに長い鎖国《さこく》体制から開国に至った日本は、諸外国との貿易の窓口を整備することが喫緊の課題となった。中でも横浜は、東京に近い地の利から築港や市街地の開発が急激に進み、伊助もその請負工事で巨利を得る。高島嘉右衛門や大倉喜八郎らと肩を並べる横浜三豪商の一人となる。

高島嘉右衛門は、建築請負兼材木商で財を成した。鉄道や道路の建設、海岸埋立工事まで経済界の頂点に君臨した。一八七二年、横浜の馬車道《ばしゃみち》通りに日本最初のガス灯が設置された。最後まで工事を見放さず、助けたのは伊助だった。その他、炭鉱、鉄道、セメント会社等々で剛腕を揮った。

大倉喜八郎は、高島の五歳年上であったが、この二人より年上の伊助には、二人は商売に誠実であり、特に大倉は兄のように慕う存在でもあった。

大倉は、越後国新発田（新潟県）から十八歳で江戸に出て、カツオ節店に奉公後、鉄砲店を開業。維新の動乱に乗じて商売を拡大。一八七三（明治六）年に大倉商会を設立し、貿易と軍需物資調達の政商として活躍した。大倉商事、大倉鉱業、大倉土木の三社を事業の中核とする大倉財閥を築いた。

▼ハリス（一八〇四～一八七八）
アメリカの外交官。一八五四（安政元）年、中国寧波（ねいは・ニンポー）領事。翌一八五五年には、ペリーが結んだ日米和親条約を実施・拡大する任務を帯びて、初代駐日総領事として下田に着任。幕府に通商条約の調印を迫り、一八五八（安政五）、日米修好通商条約の締結に成功した。

▼日米修好通商条約（にちべいしゅうこうつうしょうじょうやく）
一八五八（安政五）年六月、アメリカ総領事ハリスとの間に結ばれた通商条約。調印内容は公使・領事の交換、箱（函）館・神奈川・長崎・新潟・兵庫の開発と江戸・大坂の開府、自由貿易の原則などである。

▼井伊直弼（いい・なおすけ）（一八一五～一八六〇）
幕末の江戸幕府大老。第十三代彦根藩主。一橋派（十三代将軍徳川家定の継嗣問題について、御三卿の一つ、一橋徳川家当主・徳川慶喜（の

一方、伊助は三菱財閥の創始者、岩崎弥太郎と共同で海運業を開始。一八七〇(同三)年ころ、水戸藩が蝦夷地の海産物を伊助を通して金一万両並びに二万六千両の輸出取引の新規事業を展開、この年から船で輸送し始め伊助の商人魂は途絶えることがなかった。水運の港湾整備を夢見て懸命に着手した。一八七二年には、廻送業を始め、岩崎弥太郎《いわさきやたろう》と手を組み、三井系海運に対抗して「三菱系伊助」(現日本郵船会社)として海運業でも活躍した。

4. 生糸の輸出で外貨を獲得

わが国が近代化を歩み始めた幕末から明治期にかけて、外貨獲得のための主力輸出品は生糸だった。この生糸の取引で、輸出に大きく関わったのが熊谷(松屋)伊助だった。横浜は、一八五九(安政六)年の開港後、生糸貿易の中心となり、貿易総額に占める生糸の割合は七九%を占めた。

岩崎弥太郎

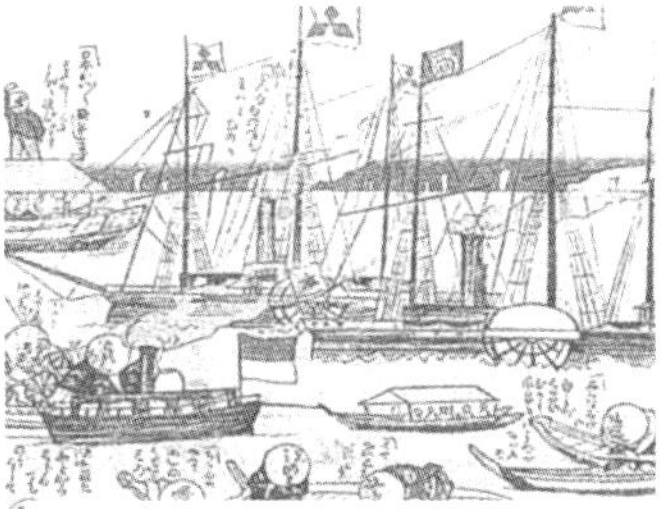

三菱汽船会社と共同運輸会社の競争

ちの十五代将軍)を推した一派)に対する大弾圧を断行する。これは尊皇攘夷派(そんのうじょういは)の憤激を呼び、井伊は桜田門外で暗殺された。

▼攘夷(じょうい)
江戸時代末期、ヨーロッパ諸国の日本への進出に伴い、これを夷狄(いてき)視して排撃しようとした思想。その根源は儒学の華夷思想(かいしそう)による日本の独善的観念と国学に基づく国家意識から生まれた。それが水戸学などによる国粋主義の高まりと結びついて、民族的反発と危機意識を助長し、尊王攘夷思想およびそれによる尊王倒幕運動へと移行した。

▼高島嘉右衛門(たかしま・かえもん)(一八三二〜一九一四)
実業家・易学家。江戸の生まれ。初の建築請負等京浜間の鉄道敷設に尽力。のち高島易断で知られる。

翌一八六〇（万延《まんえん》元）年は八五％にまで達し、日本にとって生糸は、外貨獲得のための主要な品目となった。

その中でも、阿武隈川《あぶくまがわ》中流域にある福島県の信達《しんたつ》地方（伊達郡梁川《やながわ》など）、宮城県の仙南地方（伊具郡丸森・角田・白石など）、北上川流域にある岩手県の東山《とうざん》地方（東磐井郡、西磐井郡）が代表的な産地である。こうした産地で生産される生糸は「奥州生糸」と呼ばれ、高品質だったことから外国で好まれ、高値で取り引きされたという。特に、幕末の文久《ぶんきゅう》年間の生糸貿易では、奥州生糸の割合は四六％と半分近くを占め、奥州諸藩が外国から鉄砲等の武器を購入する費用を担っていた。

（「横浜市史」参照）

幕府は軍需資金を得るため、一八六六（慶応《けいおう》二）年、「生糸の蚕種《さんしゅ》改印令」を出し統制専売制を強化。外国向けは幕府が管理することに改め、高額の手数料を徴収した。諸藩が横浜に直売所を設けることを禁じ、交易ルートは前橋や関東の売込商（輸出品を扱う商人）が占めるようになった。こうして生糸は交易の最重要品目となり、お茶はわずか一割程度だった。

一八六九（明治二）年、西洋式の器械製糸工場導入が計画され、奥州地方も有

▼大倉喜八郎（おおくら・きはちろう）（一八三七～一九二八）
実業家。越後新発田生まれ。幕末・維新期、武器商人として成功。大倉組を起こして輸出入業・土木・鉱山業を始め、大倉財閥の基を確立。また、大倉商業学校（現東京経済大学）を創立。

▼岩崎弥太郎（いわさき・やたろう）（一八三四～一八八五）
明治初期の実業家。三菱財閥の創業者。土佐出身。抜擢されて藩の通商を司るが、のち運輸業者として独立。三菱商会を興し、三井とともに明治以降の財界を両分した。

▼日本郵船会社（にほんゆうせんかいしゃ）
日本最大の海運会社。一八八五（明治十八）年、郵便汽船三菱会社と共同運輸会社が合併して成立。一八九三（同二十六）年に株式会社に改組。積極的に海外航路の充実を図り、「客船の郵船」のイメージが確立した。

力視されていたが、戊辰戦争でいち早く新政府に恭順《きょうじゅん》した前橋藩の富岡（群馬県）に、明治政府によって官営の富岡製糸場が設立された。その後、三井に払い下げられ、更に片倉製糸紡績（現片倉工業）に合併された。

その後、輸出額に占める割合は、上州《じょうしゅう》（群馬県）が二〇％から四九％に倍増したのに対し、奥州は二〇％に激減、信州一一％、武州《ぶしゅう》（秩父《ちちぶ》）一〇％と、奥州戦争での影響が大きく表れている。新政府の輸出はそれほど生糸に依存していた。

5．近江商人と日野屋

仙台の近江（今の滋賀県）商人は、江州《ごうしゅう》商人（近江の別称）とも呼ばれ、近世初頭、琵琶湖《びわこ》の東にある近江八幡《おうみはちまん》・日野・五箇荘《ごかしょう》の出身者が中心となり、全国的に活躍した。大阪商人、伊勢商人と並ぶ日本三代商人の一つ。豊臣秀吉の時代に近江八幡・日野・五箇荘あたりの近江三郡は、伊達藩の一万石の分領地（飛地）で、奉行職は京都留守居《るすい》が兼務していたようだ。

一七五七（宝暦《ほうれき》七）年、近江商人の谷口平左衛門が、仙台大町一丁目に仙台支

▼富岡製糸場（とみおかせいしじょう）
わが国初の官営模範製糸工場として群馬県富岡市に設置。政府は当時の主力輸出品である生糸の品質改良を図るため、一八七〇（明治三）年、直営の器械製糸場設立の方針を固め、フランス人技師ブリュナを雇い入れた。最新の輸入繰糸器械三百台を持つ近代的大工場として、製品は輸出先で大好評だった。

▼戊辰戦争（ぼしんせんそう）
一八六八（慶応四・明治元、戊辰の年）年から翌年まで行なわれた新政府軍と旧幕府側との戦いの総称。

▼福沢諭吉（ふくざわ・ゆきち）（一八三四～一九〇一）
思想家・教育家。豊前中津藩士の子。尾形洪庵（おがた・こうあん）に蘭学を学び、江戸に洋学塾を開く。幕府に用いられ、使節に同行して三回欧米に渡る。一八六八（明治元）年、慶応義塾を開く。独立自尊と実学を鼓吹。著『西洋事情』『学問のすゝめ』など。

▼**勝海舟**（かつ・かいしゅう）（一八二三〜一八九九）

幕末・維新期に活躍した幕臣。嘉永三年、江戸赤坂に私塾「氷解塾」を開いて蘭学や西洋兵学を講じた。一八六〇（万延元）年には、通商条約調印に赴く遣米使節団を乗せたポーハタン号に随行した咸臨丸（かんりんまる）に艦長格で乗船し、サンフランシスコ入港。帰国後、一八六二（文久二）年には軍艦奉行並となる。一八六五（元治元）年軍艦奉行となり、海軍を任された。

▼**仙台日野屋**（せんだいひのや）

仙台日野屋は、江州商人とも称され、琵琶湖東の日野出身の商人。仙台支配人には代々中井新三郎を名乗らせ、芭蕉の辻に店を構えた。仙台城下には二千人の商人がおり、その最上位の豪商として、藩のご蔵元を務めた。明治維新時、藩に御用立てした総額は百万六千三百両（約一千億円）にも達し、そのほとんどが回収不能となって経営破綻した。

店「大黒屋」を開店し、有力商人となった。一七六九（明和《めいわ》六）年には日野商人の中井新三郎が仙台に「日野屋」を出店し、大町の「大黒屋」と軒を並べて営業した。

江戸時代から続く「藤崎」「大内屋」「三文字屋」などの衣料関係、仙台味噌の「佐々重《ささじゅう》」、お茶の「井ケ田《いげた》」などもあった。仙台最大の近江商人が中井家であった。仙台藩の〝蔵元〟として、困窮《こんきゅう》した藩財政に深く関わり、支えた。京坂《けいはん》で仕入れた古着を仙台で売りさばき、その利益で奥羽産の生糸をはじめ、紅花《べにばな》、漆《うるし》、昆布・干物などの海産物、稗《ひえ》・粟《あわ》などの農産物を仕入れ、京坂や江戸へ送って莫大《ばくだい》な利益を上げた。こうした近江商人の商法を「産物廻し《さんぶつまわし》」という。千厩《せんまや》日野屋も、その仙台日野屋の支店といってよい。近江商人が始めた正月の初売りは、伝統行事「仙台初売り」として今に引き継がれている。

今から二百五十年前（安永《あんえい》年間）に作成された『安永風土記書上《あんえいふどきかきあげ》』の中の「産物」について、里見藤左衛門が著した『封内土産考《ふうないみやげこう》』（仙台叢書《そうしょ》）に現在の岩手県東磐井郡《ひがしいわい》の産物として挙げられているものを見てみよう。

熊谷伊助

千厩十日町の桑市（明治40年代）

当時の千厩宿《せんまやしゅく》は、市日《いちび》の賑《にぎ》わい・活気は頂点に達していた。穀倉地帯ではないため副業が盛んで、東山和紙、製鉄、鋳物《いもの》、花ござ、硯石《すずりいし》、煙草《たばこ》、紅花《べにばな》、繭《まゆ》、真綿《まわた》、畳表《たたみおもて》、呉坐《ござ》、金、砂鉄《さてつ》、磁石《じせき》などがある。近くの西磐井《にしいわい》郡・一関・気仙郡周辺を入れると、相応の産物が見られる。特に金は、秀吉時代には「金掘《かねぼ》り」にかかわる一揆《いっき》も起きているほどの産物であった。熊谷伊助が横浜での豪商となった産物は、何といっても「生糸《きいと》」であったと言ってよい。千厩周辺の製糸工場は明治十七年から始まり、千厩片倉製糸工場（敷地約七千坪・工女数百人）に引き継がれた。

6. 勝海舟から絶大な信頼を

あの勝海舟は一歳年下の熊谷伊助を〝わが友〟と認め、信頼を寄せていた。このことは妻の実家、市川市行徳の自性院にある墓碑《ぼひ》に記されているという。海軍卿《きょう》（長官）・枢密顧問官・伯爵たる人物が、わが友と信頼を寄せていたということは、改めて伊助の人徳を感じるものである。

伊助の財力の源となった明治期の製糸業

富岡製糸工場の内部

福沢諭吉の話に「金銭は独立の基本なり。これを卑《いや》しむべからず」とある。「独立の大義を忘れる勿れ、自ら一局面を開け」と釘をさしている。福沢はさすがに近代精神を身に付けていた。お金は人のため、世のために使うべきだ、ということを反省してみる必要があるということなのであろう。伊助は横浜で豪商と言われるほどの大商人に上り詰めたが、郷里のため、藩のため、横浜の開発のために多大な貢献をしたことは、いろいろな面で否定できない。

伊助の実家である千厩日野屋は、実弟が継ぎ、東磐井郡一の大店《おおだな》として繁昌することになるが、これも横浜での伊助があってのこととも言える。なお、千厩日野屋の子孫に、元七十七銀行頭取・仙台商工会議所会頭の丸森忠吾がいる。

隆盛を極めた仙台日野屋、そして千厩日野屋もその支店として繁昌したが、やはり伊助の力が大きかったことは想像できる。

大商人を志《こころざ》し、勤王《きんのう》の志士のごとく幕末の混乱期へ旅立った熊谷伊助は、横浜の豪商として、郷士の偉人として記憶に残しておきたい人と言えよう。

後藤新平（ごとう・しんぺい）

後藤新平

1．近代日本の羅針盤《らしんばん》となった男

後藤新平（ごとう・しんぺい）は、一八五七（安政四）年六月、奥州水沢（陸中国胆沢《いさわ》郡）で生まれる。享年七十二歳。北上川中流域に位置する水沢藩は、伊達政宗を藩祖とする仙台藩の友藩で、一万六千石の小さな藩だった。父・実《たね》崇《たか》は藩主留守家《るすけ》に仕える武士で、小姓頭を務めていた。とはいえ、小藩の家中のこと、生活はなかなか楽ではなかった。

わずか一万六千石の小藩でありながら、水沢という土地は江戸から明治にかけて傑出《けっしゅつ》した人物を送り出している。後藤新平の一歳下の斎藤実《さいとうまこと》は、海軍のエリート街道を歩み、第一次西園寺公望内閣で海軍大臣に就任すると、以後、五つの内閣で海相を歴任。海軍きってのリベラル派と言われた人物である。

▼小姓頭（こしょうがしら）
小冠者。武家の職名。主君の側近くに仕えて雑用に当たる武士。近習小姓、側小姓ともいう。

▼西園寺公望（さいおんじ・きんもち）（一八四九～一九四〇）
政治家。徳大寺公純（とくだいじ・きんいと）の次男。維新で軍功を立て、フランス留学。政友会総裁。二度首相を務める。一九一九（大正八）年、パリ講和会議首席全権として、ベルサイユ条約の締結に臨んだ。

西園寺公望

▼高野長英（たかの・ちょうえい）（一八〇四〜一八五〇）

江戸後期の蘭学者。陸奥国水沢で生まれる。早くに父と死別、母方の伯父高野玄斎の養子となる。後藤・高野両家はともに水沢藩主伊達将監の家臣で、高野家は医をもって仕え、養父玄斎は杉田玄白の門人であった。江戸に出て医学修業。一八二四（文政七）年、長崎でシーボルトの鳴滝塾に入塾。翌年ドクトル。

▼台湾総督府（たいわんそうとくふ）

日本の領有当時、台湾を管轄するため、一八九五（明治二十八）年に置かれた行政官府。台北市にあった。

台湾総督府時代の後藤

水沢には天下国家の志に燃える若者を浮上させる、独特の揚力《ようりょく》が働いている。時代は前後するが、幕末の蘭学者、高野長英も水沢の、しかも後藤本家の生まれである。高野長英は新平の大伯父《おおおじ》に当たる。反骨の血は、大伯父《おおおじ》と新平の距離をぐっと近づける。

新平は医師から衛生官僚となり、その後、台湾総督府民生長官、満鉄初代総裁、内相、外相、東京市長を歴任する。明治〜大正の変転する日本のまさに基盤を築き上げた不世出の政治家である。その日本人離れした構想力、卓越した行政者としての実行力、彼の業績はそのまま日本の近代国家としての道程に重なってゆく。

近代日本は後藤新平によって針路を定め、そして構想を葬ることで多くの可能性を喪《うしな》っていったとも言えるだろう。新平が早く生まれすぎた政治家であったとしても、その人生行路は、二十一世紀の政治家やリーダーの資質を見極める上で大いに参考になりそうだ。

2. 地獄の季節「相馬事件」

しんしんと冷え込む独房の闇《やみ》に、男が、じっと端座《たんざ》している。自慢の尖《とが》った顎鬚《あごひげ》は、伸び放題のまま、喉元《のどもと》に垂れ下がる。

内務省衛生局長、後藤新平、数え年三十七歳。国の医療、衛生行政に辣腕を振るい、飛ぶ鳥を落とす勢いだった高級官僚が、鍛冶橋《かじばし》監獄の懲罰房《ちょうばつぼう》に閉じ込められていた。独房は天井が極端に低く、立ち上がることも出来ない。便器の猛烈な臭気が鼻を突く。新平は囚《とら》われの身となり、自由を奪われてもなお節《せつ》を折ろうとはしなかった。

新平の容疑は、一大スキャンダル「相馬事件」だった。福島の旧相馬中村藩主、相馬誠胤（一八五二〜九二）の急死を巡るお家騒動に巻き込まれたのである。十四歳で家督を相続した相馬誠胤は、二十代前半に精神病を発症したとして居室に幽閉された。これを相馬家の家務《かむ》を司る家令・志賀直道（作家・志賀直哉《しがなおや》の祖父）らのお家乗っ取りの陰謀と考えた忠臣・錦織剛清《にしごりたけきよ》は、監禁罪で志賀たちを告発。ここから華族のお家騒動が始まった。

紹介状を持って訪ねてきた錦織から事情を聞いた新平は、担当した医師は誠胤

▼監獄（かんごく）
死刑・自由刑の言い渡しを受けた者および勾留された被疑人などを拘禁する施設。（二〇〇五年より刑事施設と改称）

▼相馬誠胤（そうま・ともたね）（一八五二〜一八九二）
陸奥中村藩の十三代藩主。明治十二年、精神的な病気を理由に親族らによって自宅監禁される。旧中村藩士錦織（にしごり）は、相馬家を不法監禁・資産横領で告訴。相馬家も弁護士を雇い、錦織を誣告罪（ぶこくざい）で告訴した。訴訟合戦が泥沼化する中で誠胤は死去。錦織は誠胤の死が毒殺であると訴え、遺体を解剖したが、結局毒殺でないことが判明した。錦織は誣告罪で重禁錮四年の刑が確定した。相馬藩は誠胤の実弟順胤に継承された。子爵。

▼家令（かれい）
令制で、一品から四品（しほん）の親王・内親王および職事（しきじ）の一位から三位の本主の品・位に応

じて置かれた官人。中世以降、家令以下の役割は縮小した。別当と家令を合せて家司（けいし）と呼ぶ。

▼**瘋癲（ふうてん）**
精神状態が正常でないこと。またはそういう人

新婚時代の新平と妻・和子

を診もせず、相馬家に乞われるまま精神病の診断書を記していたのだった。新平も愛知県病院（現名古屋大学附属病院）の院長を務めた医者である。そこで新平は、烈火のごとく怒った。これを期に「瘋癲人監禁取締規則」を作らせた。誠胤の私室監禁はひとまず解かれた。

しかし、錦織と相馬家の訴訟合戦は続いた。誠胤は東京帝大教授の鑑定で精神病と判定され、小石川の東京府癲狂院《てんきょういん》（松沢病院の前身）に入れられる。その後、一八八七（明治二〇）年、相馬誠胤は一旦病院から救出されて自由の身となった。その後、誠胤は病死、錦織はこれを毒殺と主張して相馬家の関係者を訴えたものの、毒殺説は証明できなかった。逆に錦織は相馬家側から誣告罪で訴えられ、有罪となった。錦織を医師として支持していた新平も、連座制で五ヵ月間にわたって投獄された。

新平は後年、政治家として大成してからは、広大な屋敷を担保に入れて政治資金を借りまくる。「おれには、水沢家中の高野長英の血が五体に脈打っている」そうした思いが彼にはあったのではないだろうか。

3. 疫病との闘い　二十三万人を検疫

日清戦争後に迫りくる「もうひとつの戦争」から国民の生命を守るには、本土上陸前に兵士の健康状態を詳しく検査し、疫病患者は避病院に隔離して治療、すべての衣類や武器、携行品を大規模な蒸気消毒汽缶（ボイラー）で熱消毒する「大検疫事業」を遂行しなければならなかった。石黒は大仕事を後藤新平に委ねたがっていた。

石黒忠悳《いしぐろただのり》。福島県出身で、日本の軍医制度を創設、明治二十二年には陸軍軍医総監となった人物である。日清戦争後の防疫対策の重要性を主張し、大検疫所設置を主唱した石黒は、後藤新平の非凡さに早くから目を付けていたという。

「……役人はいやです。ご免こうむりたい。大検疫所の建設、医官や検疫兵の配置と訓練、消毒汽缶の設置……人もモノも金も未曾有のものとなりましょう」

「もちろん、そこは考えておる。紹介したい人物がおる」

それは、切れ者の陸軍次官、児玉源太郎だった。石黒は陸軍大臣に検疫所の建設を上申し、内務大臣に国内防疫の必要性を建言した。軍部は階級に裏打ちされた縦社会。最後は序列がものをいう。新平が現場で思う存分走り回れたのは、児玉

▼避病院（ひびょういん）
伝染病予防法の規定していた法定伝染病の罹患者を隔離・収容して治療した病院。

▼日清戦争（にっしんせんそう）
一八九四（明治二十七）年七月から翌九五年四月にかけて日本と清国の間で行なわれた戦争。

▼消毒汽缶（しょうどくきかん）
消毒用ボイラー。

▼児玉源太郎（こだま・げんたろう）（一八五二～一九〇六）
軍人・政治家・陸軍大将。徳山藩士の子。近代軍隊の創設に努める。陸軍長州閥の一人。台湾総督・陸相・内相・文相を歴任。日露戦争時に満州軍総参謀長。後に参謀総長。子爵、没後伯爵に昇叙。

児玉源太郎

ドイツ留学中の後藤（左）
右は北里柴三郎

台湾時代の後藤（中央）

の厚い信任があればこそ、である。
条約改正から開戦、講和の綱渡りを演じた陸奥宗光《むつむねみつ》と、大検疫を仕切った新平は、相馬事件では敵対関係にあったが、コレラ防圧の視点に立てば、険しい高峰に別々のルートから登っていたとも言えよう。
約二十三万の大軍を三ヵ月足らずで検疫した実績が、世界史上、類例のない壮挙《そうきょ》と言われた。新平が記した「臨時陸軍検疫部報告書」は、英文に翻訳され陸軍省から欧米諸国に寄贈された。先進諸国は、国を開いて三十年足らずの日本人が成し遂げたのかと目を見張ったと伝えられている。
夏が終わり、新平は広島の陸軍検疫部をたたんで帰京した。「おかえり！」と、出迎えた妻の和子は、一瞬、息を呑んだ。外で全精力を使い果たした夫は、帰宅した途端、虚脱《きょだつ》状態となったという。

4. 台湾総統　総督府民生長官

「相馬事件」で収監されて二年足らず。新平は地獄の渕からV字軌道で官界のトップに舞い戻る。一八九八（明治三十一）年一月、大隅内閣の後を受けてカムバ

▼新渡戸稲造（にとべ・いなぞう）（一八六二〜一九三三）
思想家・教育家。南部藩士の子。札幌農学校卒業後、アメリカ・ドイツに留学。京大教授・一高校長などを歴任。国際平和を主張し、国際連盟事務局次長・太平洋問題調査会理事長として活躍。英文の『武士道』ほか『農業本論』などを著す。

台湾時代の新渡戸稲造（右）と新平

ックした伊藤博文は、新平に台湾行政の実務のトップ、総督府民生局長（のちに民生長官）にならないか、とほのめかした。新平はいったん断るが、井上馨《いのうえかおる》蔵相の要請を受けて「台湾統治救急案」の作成に取り掛かった。

日本が台湾を植民地とした目的は、政治・軍事的要因と経済的要因に大別できる。日本も植民地を支配できると、国際社会に知らしめる政治的狙いが強かった。もう一つの目的は、殖産興業政策で資本主義が成長し、国内市場が相対的に狭まったので海外進出に市場拡大を託したこと。伊藤首相は、新総督に児玉源太郎、民生局長に後藤新平を選んだ。大検疫事業を完遂した児玉―後藤コンビが再び登用され、統治の実行方針がようやく定まった。

多くの国が近代の入口で大量の血を流し、「破壊と創造」の混沌期《こんとんき》を通過したとはいえ、海の向こうでは国内の政治問題が多発していた。その武装を解除し、恨《うら》みを和らげ、近代的な政府を立ち上げて財政の独立を図る。産業を興し、衛生施設を整え、街をこしらえよう。鉄道、道路を敷き、電力を確保してインフラを整備しなければならない。

新平には「人間道楽」というクセがある。優秀な人間がいると、役所や大学か

▼**山県有朋**（やまがた・ありとも）（一八三八～一九二二）
軍人・政治家。長州藩士。陸軍大将・元帥。公爵。枢密院（すうみついん）議長。元老。

山県有朋

後藤の家族。前列中央が母利恵子、後列左から2人目が新平

ら台湾に連れて来た。その時、農業政策を任せられるのは君においていないと、熱烈に口説かれて迎えられたのが、新渡戸稲造だった。極論すれば、台湾を包む近代化の光は、まぶしさを増してゆく。

5．満鉄創業　世界をつなぐ鉄道構想

西園寺内閣は、政友会のエース原敬《はらたかし》を内務大臣に抜擢《ばってき》した。児玉は台湾総督を辞し、参議総長に転任、新平は民政長官に留任した。異例の九年にわたる長期赴任であった。

いよいよ「満州鉄道株式会社（満鉄）」が組織され、その資本金は二億円。途方もない金額であった。比肩する企業もない巨大な「国策会社・満鉄」の姿が浮かび上がってきた。

この「鉄道会社の組織の人選に衆口一決、後藤新平を総裁とするほかなし」との電話が何度か来るが、新平は素っ気なく応えている。

西園寺に新平はこう反問した。この中心点の曖昧《あいまい》さ、総裁ポストの不安定さこそが就任をためらってきた最大の理由だった。結局、新平は就任に当たり、「関

東都督府最高顧問」並務を西園寺や山県有朋、桂太郎らに認めさせた。住み慣れた台湾を去り、南から北の満州国へ、満鉄初代総裁に就いた。

6. 帝都壊滅　見果てぬ夢

一九二三（大正十二）年九月一日午前十一時五十八分、大自然が鉄槌《てっつい》を打ち下ろしたかのように地面が激しく揺れた。帝都東京は、凄《すさ》まじい衝撃に突き上げられた。マグニチュード七・九の直下型大地震「関東大震災」だ。家を失った百数十万の人間が、屋外に溢《あふ》れ出た。火災による熱波を避けて川や池に飛び込む人々の群れを、街を、炎の舌が舐《な》めつくした。東京の街は灰燼《かいじん》に帰した。

財政だ。すべては財政にかかっている。副総理格の内務大臣後藤新平の胸中には、新造都市のイメージがすぐに湧《わ》き上がった。新平は「復興」こそ目指すべき方向と定め、「根本策」を書く。①遷都をしてはならない。②復興費には三十億円が必要。③都市計画を実施するためには地主に対して断固たる態度をとる。

復興費三十億円は巨額だ。震災年の国家予算二倍でも足りない。③の欧米型の

▼桂太郎（かつら・たろう）（一八四八～一九一三）
明治から大正初期の軍人。政治家。萩藩士。陸軍次官・陸軍中将。公爵。台湾総督。陸相・首相。元帥。

▼関東大震災（かんとうだいしんさい）
一九二三（大正一二）年九月一日午前十一時五十八分に発生した、相模トラフ沿いの断層を震源とする関東大震災（マグニチュード七・九）による災害。南関東で震度六。死者・行方不明者十万五千人、住家全半壊二十一万余、焼失二十一万余に及び、京浜地帯は壊滅的打撃を受けた。

▼満州国（まんしゅうこく）
日本が満州事変により、中国の東北三省および東部内モンゴル（熱河省）をもって作り上げた傀儡（かいらい）国家。一九三二（昭和七）年、もと清の皇帝であった溥儀（ふぎ）を執政として建国。一九三四（同九）年に溥儀が皇帝に即位。首都は新京（長春）。

都市計画を練る後藤

新都市造営には、現代につながる「災害に強い街」が念頭にあった。問題は地主の存在であった。

それは「焼土を全部買い上げる案」と呼ばれるものだった。被災地域の土地を公債を発行してすべて買収。土地の整理を実行、公平に売却・貸付をするというものであった。公債の発行額は四十一億円と国の予算の三倍を超えた。

各方面から追い風が吹いてきた。素直に賛成しないと思われた事業家・地主層から逆にエールが送られた。区画整理事業に関係する会社は七十を超えた。だが、結局、後藤が立てた帝都復興案はこうした「利権」に群がる勢力から切り刻まれてしまう。「土地の絶対的所有権」という壁を突き破れなかったのである。しかしながら、灰の中から甦《よみがえ》ったように復興案は個別に飛翔《ひしょう》している。

新平の東京市長時代に、東京の中心部から昭和通り、靖国通り、晴海通り、八重洲通りなど幅員四十メートル前後の幹線道路が放射状に延び、焼失地区の約九割の面積で区画整理が断行された。ワラ束を積み重ねたようだった東京下町の風景は一変する。新平の「公共」の思想は、見果てぬ夢として、日本の未来に委ねたのである。

斎藤善右衛門（さいとう・ぜんえもん）

斎藤善右衛門

1．葛西家家臣から帰農、郷士に

千町歩地主斎藤家、九代目斎藤善右衛門は、一八五四（安政《あんせい》元）年、宮城県桃生郡前谷地《ものうぐんまえやち》村（現石巻市前谷地）に生まれる。享年七十一歳。八代目善次右衛門が戊辰戦争の白河口の戦闘により戦死したため、十五歳で斎藤家を相続する。

斎藤家の祖は、石巻の葛西清重（奥州惣奉行）の家臣であったが、葛西氏没落後、前谷地に移住した。六代又右衛門は仙台藩士鹿又氏の家臣となり、開墾に従事した。又右衛門には子供が二人おり、長男市郎左衛門は中埣《なかそね》斎藤家、次男善九郎が黒沢斎藤家の祖となった。ちなみに小作人たちは斎藤家のことを「黒沢」と通称した。

歴代斎藤家の概要をみると、二代酒造業を開始、三代十町歩余の自作農、四代深谷大肝入、五代入婿《いりむこ》、六代郷士格、七代士分となる。扶持米十二石五斗。一八

▼葛西清重（かさい・きよしげ）
鎌倉前期の武士。奥州合戦の功で陸奥国の軍事・警察並びに御家人統制を司る奥州惣奉行になった。

▼奥州惣奉行（おうしゅうそうぶぎょう）
鎌倉幕府の職名。一一八五（文治五）年、文治奥州合戦後、陸奥御家人奉行と陸奥留守職を設けたが、後に両方を陸奥総奉行と呼び、葛西氏、伊沢氏が世襲した。

▼深谷（ふかや）
中世は深谷保（荘・郷とも並称）。保域はおおよそ近代桃生郡深谷の範囲で、旧河南町・旧矢本町・旧鳴瀬町に相当する。

四三（天保《てんぽう》十四）年本宅を一週間かけて改築。戦後は農地改革により没落し取り壊された。八代善右衛門は、藩へ七回にわたって献金。会津藩追討の命に対し、軍資金として一万両を献金。自らも参戦し、戦闘死した。

九代善右衛門は、父（八代）の戦死により、十五歳で斎藤家を相続する。また、一八六九（明治二）年には仙台藩浪士の見国隊に屋敷を襲われ大金を略奪される。翌一八七〇年十月、扶持米十二石五斗を藩に奉還して帰農する。理財の天才と言われた善右衛門は、次第に地主業と金穀貸付業へと経営を絞り込み、自作業と質屋業を廃止。政治活動については、基本方針として距離を置いたという。

十代善右衛門の時代だった一九二八（昭和三）年に前谷地事件が起き、検挙者が多数出る。一九三三（昭和八）年、斎藤報恩会自然科学総合博物館が現在のＮＨＫ仙台放送局の場所に開館。十代の孫養之助（一九一九〜二〇〇〇）は、一九四二（昭和十七）年の大学一年生の時、十一代当主となる。第二次世界大戦がはじまり応召される。敗戦後、農地解放指令が出され、一九四六（昭和二十一）年、斎藤株式会社は解散、斎藤家はすべての小作地の開放を申し出る。

▼大肝入・大肝煎（おおきもいり）

各代官管轄下に置かれ、代官の命を受け所轄内各町場や村の肝入・検断を支配し、行政・司法・警察などの管理に任ずる役人。地方の有力者から専任される。

▼郷士（ごうし）

農民身分で武士と同様の接遇を与えられた者を指す。外様領地に多い。領主の財政がひっ迫した際は、御用金を献納することで郷士として取り立てられた者などがあり、「取立郷士」とか「献金郷士」と呼ばれた。

▼士分（しぶん）

武士の身分。「〜に取り立てる」

▼扶持米（ふちまい）

武士に与えられた給与。「扶持」とは、俸禄を給して、家臣としておくこと、また、その俸禄。主として米（扶持米）を給した。一扶持は、一回一人玄米五合。一年で一石八斗。

▼**農地改革**（のうちかいかく）
第二次世界大戦後、占領軍の強力な指導によって日本で行なわれた農地制度の改革。地主制の解体と自作農業創設のために小作地の開放、小作料の引き下げと分納化、不在地主の一掃を主な内容とした。改革は一九五〇（昭和二十五）年に完了。小作地の八〇%を超える約二百万町歩が、二百五十万の地主から四百七十万余の農地が地主から小作農に移った。戦前まで七〇%だった小作農は四〇%となり、自作地を持たない農家は二六%から四%に減少した。

▼**帰農**（きのう）
官職・武士の身分を辞し、郷里に帰って農事に従うこと。帰国。

▼**前谷地事件**（まえやちじけん）
昭和初期にかけて東北各地の農村が疲弊し、各地で小作争議が激しくなっていった。「前谷地地件」と呼ばれる小作争議が勃発したのは、一九二七（昭和二）年である。この出来事は、逮捕者を出すほどの重大事

2. 営利時代・土地買収と米価上昇

九代目善右衛門の頃は、地主としての斎藤家の規模は、酒田（山形県）の本間家に次いで全国第二位。現金保有では全国一の資産家といわれた。当時多発してくる寄生地主の誕生については、保有地の多寡《たか》は別として、地租改正によって発生したものが多い。斎藤家の場合、江戸末期から金穀貸付業や質屋業、酒造業を営んでいたので、富裕な階級にあったことは確かである。

九代目は特に理財家《りざいか》であり、利潤の少ないものについては削ぎ落として合理的な経営へと切り替えてゆく才覚があった。一八七九（明治十二）年には自作農を廃止して酒造業に力を入れるが、一八八九（同二十二）年には酒造業界の競争が過熱してきたことを理由に廃止している。それ以前の一八八二（同十五）年には、取引が零細で利潤が少ないとして質屋業も廃業している。こうして、地主経営および金穀貸付業へと経営を絞り込んでいくのである。

政治活動については、一八七一（同四）年から一八七四（同七）年までの四年間、前谷地村長を務めている。一八八〇（同十三）年に県議会議員、一八九二（同二十五）年には衆議院議員に当選しているが、いずれも早期に辞職している。

件であった。

▼地租改正（ちそかいせい）

江戸時代の農民の年貢負担は、「四公六民」の形で税の負担は重かった。しかし、明治維新後は、米価の変動に左右されない租税制度の必要性に迫られ、一八七三（明治六）年、明治政府は、地租改正を行ない、土地の価値に見合う金銭による納税を課す改革を実施した。この改革で、日本で初めて土地の私的所有権が認められた。

▼富田鉄之助（とみた・てつのすけ）（一八三五〜一九一六）

桃生郡小野村（現東松島市小野）出身。欧米諸国との親善友好や幕末に結ばれた不平等条約の改正などを目的に、一八七一（明治四）年から七三年まで、アメリカ、イギリス、ドイツ、イタリア、ロシアなど計十二ヵ国に派遣された岩倉使節団に参加、大久保利通や伊藤博文らの通訳を務めた。帰国後は外交官となる。のち、第二代日本銀行総裁、東京府知事などを歴任。日本勧業銀行

政界と経済界は両立しないということを見極めた上での結果であろう。

斎藤家の富を東北一の地位にまで引き上げた直接要因とされるのは、一八九〇（同二十三）年の「山口屋」の買収である。桃生郡初代郡長奥田参十郎は、三菱会社保有の債権・土地を譲り受け、宮城・岩手・山形三県で土地貸付と土地買入業を営んでいた。この事業が経営不振となり、川崎銀行へすべて譲渡した。同銀行は遠田郡《とおだぐん》小牛田町《こごたちょう》に拠点を置き、「山口屋」（山口俊作代表）として経営再建に当たったが進展しなかった。これを買い取ったのが斎藤家による山口屋の買収である。

買い取りは成功し、買収時に三十四万六千円であった貸付総額は、二年半後には約三・五倍の百二十万円と急成長した。買収するに当たっては、知人を通して当時日本銀行総裁として経済界の重鎮であった同郷の富田鉄之助の所見を聞いたという。「土地購入は大いに有望なこと」との助言を以って広大な土地の買収を急いだということらしい。

そうした結果、土地六百六十余町歩、債権額十二万九百余円を九万七百五十円で買い取ることになった。当時斎藤家の資産は貸付金総額三十四万六千余円、土地は四百五十町歩余（この土地面積による小作米収入は二千百石余）に過ぎなか

等の設立にも参加し、実業界でも活躍した。一八八九（明治二十四）には貴族院議員となり、郷里の発展に力を尽くした。

旧本宅（明治40年写）

養之助が開設した宝ヶ峯縄文記念館

ったが、幸運にもこの年の二月頃四円八十銭だった米価が、買収の翌年の一八九一（明治二十四）年一月には十円を突破し、斎藤家の財産はさらに倍増することになる。

3．宝ヶ峯縄文遺跡を発見

河南町前谷地（現石巻市）に「宝ヶ峯縄文記念館」がある。九代斎藤善右衛門が屋敷に別荘への道路を開削した際、偶然見つけた縄文遺跡だ。祖父が発見し、父親が発掘した宝ヶ峯遺跡を整理・まとめたのが養之助（元斎藤報恩会理事長）だった。記念館には宝ヶ峯遺跡から出土した縄文土器などを展示。親子三代にわたる文化遺産の保存・検証にかけた情熱が伝わってくる。

発掘は長男の第十代善右衛門が中心となり、一九二七（昭和二）年まで長い年月をかけて行われた。全国に先駆けて分層的発掘を試みた所としても知られる。この頃、石巻では毛利総七郎や遠藤源七（両者とも石巻生まれ）が沼津貝塚・南境貝塚を発掘していて、一九一七（大正六）年には十代目善右衛門が彼

斎藤翁の寄付による宮城県図書館（昭和３年）

斎藤家の長者林

らの発掘作業に参加している。

宝ヶ峯の出土品の多くは縄文時代後期及び晩期の土器・土偶・石器・骨角器などで、東北地方縄文後期の編年上の空白を埋める遺物として歴史的な価値がある。「宝ヶ峯」という名称は、発見当時、招かれていた東京理科大学教授坪井正五郎が「がれきも学びの道の宝」ということから「宝の峯」「宝ヶ峯」となったという。

十代目善右衛門には子供が八人いた。長男が養之助で、十代目善右衛門の死去に伴い、慶応大学在学中に第十一代当主となった。宝ヶ峯遺跡ばかりでない。この親子三代を語る時、忘れてならないのが財団法人・斎藤報恩会の活動である。同会が東北地方の学界の発展、公益事業の振興に寄与した功績は計り知れない。

斎藤報恩会を設立したのは九代目善右衛門だった。九代目善右衛門は事業感覚に優れ、一代で莫大な資産を築いた。「裏に酒田の本間、表に前谷地の斎藤」と並び称された。「斎善王国」と異名をとるほどの日本有数の資産家まで上り詰めた。

昭和八年には仙台市内（今のＮＨＫ仙台放送局の場所）に博物館（後の自然史博物館）を開館。東北大学の協力で東北地方の地学・生物学の分野の研究・資料

▼真宗大谷派・東本願寺（しんしゅうおおたには・ひがしほんがんじ）
浄土真宗の一派。教如（きょうによ）が一六〇六（慶長七）年、徳川家康から今の東本願寺の敷地を賜り、新たに一寺を建立して開いた。東本願寺派。

▼日本赤十字社（にほんせきじゅうじしゃ）
戦傷病者の救護や一般国民の医療に当たる民間の社会事業組織。一八七七（明治十）年に設立された博愛社が前身。一八八六（明治十九）年、陸戦における傷病兵の保護を定めたジュネーブ条約に日本が調印したことに伴い、翌一八八七（明治二十）年、日本赤十字社に改称。「日赤」と略称。

（財）斎藤報恩会の旧事務所

収集に大きな役割を果たした。

4. 慈善事業や寄付行為　斎藤報恩会設立

九代善右衛門が生涯にわたって力を入れた慈善事業や寄付行為は、社会事業・各種の災害（水害・火災）、学術、教育、宗教など幅広い分野に及び、多種多様、多大である。その中でも特殊なのが、一九二一（大正十）年に設立した斎藤報恩会《ほうおんかい》である。学術研究・産業開発、社会改善の三事業を柱とし、一九二三（同十二）年に許可を受け、自らが理事長に就任し業務を開始している。

善右衛門の奉仕事業の一つに「教育事業」が挙げられる。それは一九〇一（明治三十四）年の時に始めた「育英貸費事業」を実施したことである。育英事業はまず各地に照合して貸費生は仙台藩内の者に限り、漸次東北各県に及ぼすこととした。程度は高等専門学校以上に限り、決定は教育家、宗教家、法律家、実業家数名からなる評議員の選考に一任することとした。この事業は財団法人斎藤報恩会の事業開始まで継続された。その費用は九万三千二百余円にもなった。

▼GHQ（General Head Quantensの略称）
日本の敗戦後、日本を支配した連合軍主体で創設された機関。「GHQ」とか「進駐軍」とも言われた。主にアメリカ軍人やアメリカの民間人が中心であり、少数だがイギリス人やオーストラリア人もいた。一九四五（昭和二十）年の敗戦から一九五二（同二十七）年のサンフランシスコ講和条約まで日本はGHQの占領下に置かれていた。

斎藤家本宅中門

奉仕事業の二つ目は、「宮城県図書館新築費寄付」である。一九〇七（明治四十）年、政府が仙台市に東北帝国大学を設置することを決定したのは、仙台を東北の帝都なる実を挙げるべき機運を挺進するものであった。しかし、仙台市には学徒の勉強、一般市民が知識習得できる図書館としては、県立のものが一つだけであり、しかもその建物や内容が甚だ貧弱であった。

善右衛門は、こうした現状を嘆き、自らが応分の費用を負担することを決意。東京、大阪、名古屋等各地の図書館を実地調査し、仙台市における図書館の建築費として五万円、条件付きで図書購入費一万五千円の寄付を申し出たという。

寄付の条件とは、①金額は図書館新築にのみ充てること。②県は門扉および庭園等を完備すること。③県は図書館の新築落成後、向こう五十年間、図書購入費として毎年三千円を県費から支出すること。④目的以外に使用せぬこと、の四カ条である。なお、教育者が広く各地の教育状況を視察し知見を広める必要性に着眼し、今後県教育者の県外視察として、一九一四（大正三）年以降毎年、年千二百円、同九年以降は毎年千三百円を寄付した。

広大な斎藤家の敷地

5. 戦後の農地解放で土地を失う

理財の天才は、一九〇五（明治三十八）年、京都大谷派本願寺（東本願寺）の債務整理に対して二百万円もの融資を行なっている。そして結果的に本願寺は債務処理に成功。また茨城県の無煙炭鉱、九州三笠炭鉱、神奈川県の埋立事業、樺太漁業、宮城県の電気事業などにも投資を行なって、それがことごとく成功している。

一方、善右衛門は日本赤十字社に多額の寄付をし、一九二四（大正十三）年に、宮城県庁北側の北一番丁に仙台日赤病院を開院した。第二次大戦時に焼失し、その後は仙台五橋に移転、さらに現在は太白区八木山本町に移り、市内有数の総合病院となっている。

それからわずか一年後の大正十四年七月、九代目善右衛門は七十歳で病没。その後は十代目善右衛門が相続し、斎藤株式会社社長、斎藤報恩会理事長、仙台信託株式会社社長に就任した。

しかし、十代目善右衛門による仙台信託株式会社の経営は失敗に終わり、この整理のための金を斎藤家は代払いした。これが後の斎藤家の躓《つまづ》きの遠因になった

本宅の全景

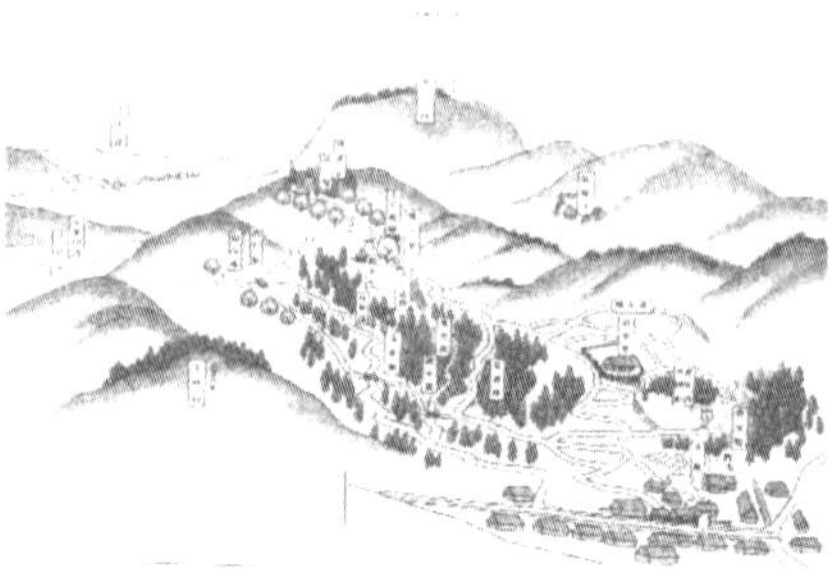

斎藤家の邸宅内略図

ことも事実である。

一九三二（昭和七）年に十代善右衛門が亡くなり、十一代が大学在学中でその時の財産税七百万円が斎藤株式会社を解体させる原因となったのである。

一九四五（昭和二〇）年に敗戦を迎えると、GHQは寄生地主《きせいじぬし》の解体を行ない、農地改革を進めていった。斎藤家はすべての小作解放を県に通知した。前谷地における農地解放は斎藤家の協力もあり、順調に進んだ。

全国第二位の大地主として七十年続き、小作人二千六百戸、二万一千石の小作米を取っていた斎藤王国は完全に消滅したのである。

斎藤家には膨大な量の文書類が残されている。東北大学がその整理に当たっているようだが、将来斎藤家の全容が更に明らかになっていくことであろう。

斎藤善右衛門は、事業感覚が優れて酒田の本間家に次ぐ大地主となり、資産量においても日本有数の資産家に上り詰めた。また地域への社会貢献も前述の通り他に類を見ない。こうした経済活動をするに当たっては、善右衛門の道徳観や倫理観が推進とブレーキの両軸の基本となっていたのではないだろうか。地域の記憶に残すべき第一級の人物と言えよう。

斎藤実（さいとう・まこと）

斎藤実

1. 海軍登竜

斎藤実（さいとう・まこと）（一八五八〜一九三六）。明治から昭和前期の海軍軍人、政治家。陸奥国水沢生まれ。享年七十八歳。

海軍兵学校卒業。約四年間アメリカに留学したのち、山本権兵衛《やまもとごんべえ》海軍大臣の下で長く海軍次官を務め、主に軍政畑を歩んだ。日露戦争後、第一次西園寺公望《さいおんじきんもち》内閣、第二次桂太郎《かつらたろう》内閣、第二次西園寺内閣、第三次桂内閣、第一次山本権兵衛内閣と計八年間、海軍大臣を務め、その間、海軍拡張政策をめぐり、急進論の山本や部内を抑えて内閣と協調する姿勢を取り続けた。山本内閣の「シーメンス事件」の責任を問われ、予備役となるが、一九一九（大正八）年、友人の原敬首相によって朝鮮総督に起用され、現役に復帰した。

▼シーメンス事件（海軍収賄事件）

一九一四（大正三）年初頭に暴露された、第一次山本内閣の倒閣の要因となった海軍汚職事件。事件は、海軍の高官がドイツのシーメンス社から大艦や精密機器を購入する際に賄賂を得ていたというもの。海軍大拡張計画を国会に提出する際、野党立憲同志会の議員が、新聞の外電を見て事件を知り、政府を追及。衆議院では内閣不信任が否決されたものの、予算案が不成立となり、内閣は総辞職した。

▼帝人事件（ていじんじけん）

斎藤実内閣倒閣の原因となった、帝国人造絹糸会社の株式譲渡をめぐる大疑獄事件。一九三四（昭和九）年、番町会のメンバーが政府関係者に働きかけて帝人株を不当に安く手に入れたとの記事連載（時事新報）が発端。公判の結果、取引は正当であったという判断がなされ全員無罪となった。斎藤内閣の反対派にとっては、破格の倒閣材料となる事件であった。

▼二・二六事件

一九三六（昭和十一）年二月二十六日から二十九日にかけて、皇道派の影響を受けた陸軍青年将校らが、千四百八十三名の下士官兵を率いて起こした、日本でのクーデター事件。

ジュネーヴでの海軍軍縮会議には、主席全権として英米間の調停や、日英間妥協等作成に努めた。二度目の朝鮮総督の時は、ロンドン海軍軍縮条約を支持するなど、第一次大戦後の協調主義外交を支えた。「五・一五事件」で政党内閣の存続が困難になると、宮中の支持によって斎藤内閣を組閣、首相となり挙国一致内閣を二年余にわたって維持した。

帝人事件で総辞職するが、軍縮条約支持派の海軍大将岡田啓介《おかだけいすけ》を後継首相に据えることに成功。岡田内閣では内閣審議会の委員となり、天皇機関説排撃事件後には牧野伸顕の後任として内大臣に就任。重要閣僚の中核を担うことを期待されたが、「二・二六事件」で暗殺された。

斎藤実は、兵学寮時代以来の野性を深く蔵し、しかも青年士官時代の外国生活による素養、持って生まれた武士的気品など、いろいろの因子が絡み合って、斎藤の本領が引き上がったように思われる。酒は好きであり、宿では朝から飲み、晩酌を四本も飲むなどの酒豪だったとも伝えられている。

2. 高野長英、後藤新平、斎藤実は同じ町育ち

風光明美な土地には、人物が出る。石見《いわみ》国津和野は亀井という槍の名人を先祖とする名家の城下町であったが、山水の美しいところであり、前出の言葉通り、この町からは西周、森鴎外が生まれた。そういう意味では、岩手県の水沢も同じである。

『斎藤実伝』の冒頭には、斎藤の郷土水沢のことが描かれ、「旧藩主留守氏が構築した臥牛《がぎゅう》城（水沢城）は胆沢《いさわ》平野の中央にあって四隣を圧し、まことに奥州の要鎮《ようちん》、水沢人、また天を衝《つ》くの概《がい》がある。」と記されている。

この東北の小都市から「高野長英」が出たことは記憶されていい。長英は一八〇四（文化元）年、この城下の後藤という家に生まれ、母の生家を継いで高野を名乗った。この後藤家は、後藤新平を生んだ家の本家に当たる。長英を生んだ水沢は、その後明治以降の日本に、二人の偉人を出した。一人はこの後藤新平、もう一人が斎藤実である。後藤は斎藤より一歳年上である。だが、二人は同じように育ち、同じスタートラインを持って、世の中に出た。斎藤の生家は、鎌倉時代から連綿と続く武士の家系で、代々水沢藩に仕えていたが、明治維新前後は、祖

▼西周（にし・あまね）（一八二九〜一八九七）
明治前中期の啓蒙思想家。石見国津和野の藩医の家に生まれる。蘭学を修め英語も学ぶ。オランダに留学、帰国後は開成所教授。大政奉還に際し、徳川慶喜のための憲法草案にあたる。「議題草案」を起草。貴族院議員。男爵。

▼森鴎外（もり・おうがい）（一八六二〜一九二二）
明治・大正期の小説家、翻訳家、評論家、陸軍軍医。石見国津和野生まれ。陸軍医事の研究のためドイツに留学。研究の傍ら思想書・文学書を多読。西欧文化の真髄に触れる。

▼留守氏（るすし）
中世・近世の陸奥国の武家。一一九〇（文治六）年、もと九条家の侍であった伊沢家景が、源頼朝によって陸奥国留守職から奥州惣奉行に任ぜられ、宮城郡に下向。以後、留守職を世襲して留守氏を称した。室町・戦国期には、奥州探題大崎氏と伊達氏との間にあって、辛うじて独

父・高健（貞雄）、父・高庸（耕平）は共に寺子屋の師匠をしていた。

父・高庸の子・実に対する薫陶は手厳しいもので、三度教えて覚えていない時は、竹の鞭《むち》を持って容赦《ようしゃ》なく打《う》ち据《す》えたという。父の厳格さとは反対に、母キクは文字通りの慈母であった。

斎藤の生家は、臥牛城の南、西小路にあり、敷地面積五百四十坪余、テニスコート九面分に当たる。仙台城下の侍屋敷では、中級侍（知行高百五十石〜三百石未満）の屋敷面積に相当する。高野長英の家と後藤新平の家は共に吉小路にあった。斎藤より一歳年上の後藤は、子どもの頃は餓鬼大将《がきだいしょう》で知られていたが、斎藤はおとなしい少年であったという。

一八六九（明治二）年の版籍奉還、府藩県が置かれた時、水沢には胆沢県庁が設置された。

3. 〝イギリス〟を身に付けた斎藤の第二の天性

実（幼名・富五郎）は、一八七三（明治六）年、陸軍幼年学校の入試を受けたが、結果は採用人員二十人のところ二十五番で、「私費で希望するなら入学を許可

立を保っていたが、十五世紀後半以降は伊達氏から次々と養子を迎えて実質的には伊達氏の臣下となった。一五九〇（天正十八）年、奥州仕置の中で、伊達政宗によって黒川郡大谷、磐井郡黄海に移され、一六二九（寛永元）年、水沢に移って幕末を迎えた。

▼高野長英（たかの・ちょうえい）（一八〇四〜一八五〇）

江戸末期の蘭学者。水沢生まれ。母方の伯父・高野玄斎の養子となる。後藤・高野両家は共に仙台藩水沢領伊達将監の家臣。高野家は医をもって仕え、養父玄斎は杉田玄白の門人。一八二四（文政七）年、長崎に赴きシーボルトの鳴滝塾に入塾。翌年シーボルトよりドクトルの称号を与えられる。一八二八（同十一）年、シーボルト事件が起こるといち早く身を隠し、町医者となる。幕府批判のかどで永牢の判決を受けたが脱獄逃亡。江戸に潜伏していたが、隠れ家を捕吏に襲われて自害した。四十四歳。

▼後藤新平（ごとう・しんぺい）（一八五七〜一九二九）

明治後期から大正期の政治家。医師出身の衛生行政官として日本の公衆衛生行政の基礎を築いた。『国家衛生原理』を著す。大量帰還兵の検疫を行なう臨時陸軍検疫部事務長官。台湾総督府民生長官。満鉄初代総裁。逓信大臣兼鉄道総裁。内務・外務大臣。鉄道院総裁。東京市長。日ソ基本条約の調印。

▼ジュネーヴ海軍軍縮会議

一九二七（昭和二）年、スイスのジュネーヴで開催された補助艦制限を目的とする会議。金融恐慌下、日本政府は会議を極めて重要視し、斎藤実朝鮮総督を首席全権に据えた。

▼海軍操練所（かいぐんそうれんじょ）

幕末の江戸幕府の海軍教育機関。軍艦奉行の勝海舟が総官した。明治初年の海軍士官養成機関。一八六九（明治二）年、東京築地の旧広島藩邸跡地に創設。英国式の訓練を行う。一八七〇（同三）年改組、海事

する」と通達があった。もとより私費で修学するのは不可能であったため、辞退することにした。ところが、同年五月、海軍兵学校寮予科に応募する機会があり、試しに受験したところ合格、入学が許可された。

斎藤の生家に残されている彼のノートからは、兵学寮に入った当時、いかに学習に真剣であったかが伺える。折からの海軍教育刷新の時代で、イギリスから准艦長ドウグラス以下三十四人という多数の教師団を招聘《しょうへい》し、大規模な伝習を行なっていた。将来の海軍建設の人材養成を急いでいた時代であった。

教科書は、イギリスで使われていた原書を採用したため、英語を知らない斎藤には当然ながら理解できず、困り果てたが、口授《こうじゅ》による授業に食らい付こうと、寝食を忘れて英語の修得に努めた。イギリス人教師が生徒たちを連れて実習場に向かう途中、いろいろな説明を英語で行なうが、その話を丹念にノートに書き留め、一言も聞き洩《も》らさないというほどの熱心さだった。イギリス人教師のドウグラスは、当時海軍少佐であったが、のちに海軍大将となった。後年、斎藤はジュネーブでの軍縮会議に全権として行き、会議終了後、ロンドンで組織のイギリス提督《ていとく》を訪ねたが、その時既にかつての恩師は亡き人となっていた。

一八七九（明治十二）年、斎藤は兵学寮（操練所）を卒業したが、成績は三番

目、卒業生は「海軍少尉補」となった。その時代の日本政府は、招聘《しょうへい》したイギリス人教師から測量術、機関運用、砲術、造船などの学科を学んでいた。三十四人の教師陣が百十人の海軍生徒と同居し、朝な夕なに教えを学び、語り聞きするのである。生徒たちは、知らず知らずの間に「イギリス」を身に付けていた。教科書に載っている知識ばかりでなく、イギリス流の考え方や態度、身のこなし、品性までも貪欲に吸収していたのではないだろうか。これが斎藤の第二の天性となったのである。

4. 八年三ヵ月間の海軍大臣

海軍としては、画期的な大改革であった。五十六歳で海軍大臣・侯爵の西郷従道（隆盛の実弟）、五十九歳で中将男爵の次官伊藤が去って、四十七歳の中将山本権平衛が大臣となり、四十一歳の大佐斎藤実が艦長から次官へと躍進した。大佐の次官は前古未曾有、しかも斎藤は大佐になって一年に満たなかった。当時の新聞は大佐次官として紹介した。部局長に先輩が居並んでいるので困ったと思ったが、山本海相がやれというので、斎藤も次官を引き受けた。

兵学寮となり、一八七六（同九）年、海軍兵学校と改称。

▼**西郷従道（さいごう・つぐみち）（一八四三～一九〇二）**
明治期の軍人、政治家。公爵、元帥。隆盛の弟。薩英戦争、戊辰戦争等に従軍。欧州諸国視察後、陸軍大輔、台湾出兵を主導した。西南戦争中は山県有朋に代わって陸軍卿代理、参議、海軍大臣、内務大臣。海相を約十年。

西郷従道

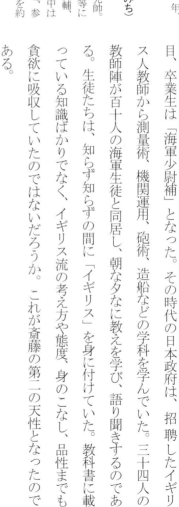

斎藤は、青年士官時代に恵まれたコースを歩いた。最も幸せだったのは、在米中、西郷従道の欧州旅行に半年にわたって随行し、親しくなったことだろう。この間、斎藤は西郷と日夜接する機会を持ち、その間、西郷は斎藤の人柄を知ることになる。
やがて、斎藤実は仁礼景範（子爵）の娘春子と結婚することになる。また、斎藤が常備艦隊参謀として「高千穂《たかちほ》」に乗った時、山本はその艦長と九ヵ月間艦上生活を共にした。

斎藤が次官となった時の極東情勢は、容易ならぬものであった。三国干渉のため、日本がやっと手に入れた旅順、大連を一八九八（明治三十一）年にはロシアが平然と中国から租借、フランスも広州湾を租借《そしゃく》した。一方、アメリカはハワイを併合、フィリピンを掌中《しょうちゅう》に収めた。こうした列強の進出に対して、日本の防衛力、ことに海軍力は貧弱であった。

一九〇〇（同三十三）年、少将に昇進し、また各省官制の改正により、次官は「総務長官」と改称されたので、斎藤はそのまま海軍総務長官となった。

一九一四（大正三）年、いわゆる「シーメンス事件」が国会で取り上げられ、

▼山本権平衛（やまもと・ごんべい）（一八五二〜一九三三）
明治・大正期の海軍軍人、政治家。鹿児島生まれ。天城艦長、高千穂艦長。海相。海軍大将。伯爵。首相。海軍大将。「薩摩の海軍」の中心的存在。

▼仁礼景範（にれい・かげのり）（一八三一〜一九〇〇）
薩摩藩士の子弟。一八六七（慶応三）年、米国に留学。海軍中将。伊藤内閣の海軍大臣。国民協会党首。枢密顧問官。子爵。

▼租借（そしゃく）
ある国が他国の領土の一部を借りること。原則として租借国が統治権を行使する。

▼田中義一（たなか・ぎいち）（一八六四〜一九二九）
陸軍軍人、政治家。長州藩軽輩の家に生まれる。日清戦争に従軍。ロシア留学。日露戦争では満州軍参謀。陸相。大将。長州閥のトップの座に就く。首相。

前列中央が高橋是清（大正14年）

新聞各紙に掲載された。海軍首脳の責任を問う声が次第に大きくなっていった。この海軍の問題は、やがて倒閣の手段へと変化する。結局、同年三月に山本権平衛内閣が総辞職。斎藤は、ここ八年三ヵ月の海軍大臣生活を終えるとともに、海軍大将として現役を去った。四月、後継内閣として大隅内閣が成立した。この一連の事件は、長州閥の薩派攻撃に利用されたとも言われる。

5．二度の朝鮮総督　二・二六事件

一九一九（大正八）年、斎藤は、旧藩主留守《るす》家の子息・邦太郎を連れて北海道十勝で農園を経営しようと準備を進めていた。そこへ田中義一陸相がやって来て、朝鮮行きを勧めた。だが、斎藤はその申し出を断った。すると今度は加藤友三郎海相が来て、同じように朝鮮行きを斎藤に勧めた。斎藤は再度、これを断った。その後、斎藤のところに原首相が来て、三度目の朝鮮行きを勧めたという。斎藤は、一度は原の話を断ったが、原の勧め方は上手で、斎藤はとうとう根負けして朝鮮行きを考慮してもいいと折れたという。かくして八月、斎藤は首相官邸に行き、首相以下各大臣と会見し、正式に朝鮮総督就任を受諾した。斎藤は、泰然として総督官舎に入り、シャンパンを抜き、「雨降って地固まるさ」と政務総監を顧みて朗らかに笑った。「この事件で、むしろじっくり度胸を構えて朝鮮と取り組もう」というのである。結果的には斎藤の朝鮮経営は今でも高い評価を受けている。

「五・一五事件」で、犬飼首相がピストルで銃撃された。大蔵大臣高橋是清が臨時首相を兼務した上で総辞職した。斎藤は前年、二度目の朝鮮総督を辞して以来、葉山で清閑中《せいかんちゅう》だった。葉山にいた斎藤に、柴田（大阪府知事の斎藤内閣の書記長官）は、大命拝命を勧めた。結局、斎藤は大命を拝受し、内閣を組閣した。

当時の世間は、斎藤内閣のことを「スローモーション」と評したという。こうした評価に斎藤は、笑いながら「スローモーションかも知れないが、ノーモーションではない」と答えたという。斎藤は、表に出た時は黙々としてあまり弁を弄《ろう》さない。こうした寡黙《かもく》な態度、宣伝無用の方式が、何もしない、といった印象を与えたのであろう。

かくして、「二・二六事件」が勃発した。岡田首相は、義弟松尾伝蔵が身代わりとなって凶弾《きょうだん》に倒れ、斎藤実は公邸にいたところを襲撃された。春子夫人は倒れた斎藤をかばって覆いかぶさり、「わたしも撃ちなさい」と叫んだが、襲撃兵の銃剣によって負傷した。

▼五・一五事件

一九三二（昭和七）年に起きた海軍青年将校を中心としたクーデター事件。血盟団事件の第二陣として計画されたものであり、当初、陸軍側青年将校と協同して決行するつもりだったが、荒木陸相は動かず、結局、海軍側が中心となって決行することになった。

▼高橋是清（たかはし・これきよ）（一八五四～一九三六）

財政家・政治家。日露戦争外債募集などで頭角を現し、日銀総裁・蔵相。原敬の暗殺後、首相・政友会総裁。二・二六事件で暗殺。

▼大命（たいめい）

大命降下→明治憲法下で、天皇が内閣総理大臣たるべき候補者を選定して、その者に内閣総理大臣となること、および他の国務大臣たるべき者を奏薦することを命じたこと。

昭和七年の斎藤内閣発足

6．斎藤実の略年譜

一八五八（安政《あんせい》五）年、陸中国水沢に生まれる。一八八二（明治十五）年海軍少尉任官、一八六二（同十九）年海軍大尉、一八九三（同二十六）年海軍少佐、一八九七（同三十）年海軍大佐。一八九八（同三十一）年厳島《いつくしま》艦長、海軍次官。一九〇五（同三十八）年海軍中将、一九〇六（同三十九）年海軍大臣（四十九歳）。

一九〇八（同四十一）年桂内閣海軍大臣留任、一九一一（同四十四）年西園寺《さいおんじ》内閣海軍大臣留任。明治天皇崩御《ほうぎょ》、海軍大将。一九一三（大正二）年山本内閣海軍大臣留任。

一九一九（同八）年朝鮮総督就任。駅頭にて爆弾の洗礼受ける。一九二四（同十三）年旭日楓花大綬章《きょくじつふうかだいじゅしょう》受章。一九二五（同十四）年子爵。

一九二七（昭和二）年ジュネーヴ会議全権委員として軍縮会議出席。病気にて依頼免本官。国務大臣たる前官礼遇賜う、枢密顧問官《すうみつこもんかん》。一九二八（同三）年退役（七十三歳）。日露協会会頭。朝鮮総督（二年間）。一九三二（同七）年内閣総理大臣兼外務大臣（七十五歳）。一九三四（同九）年内閣総辞職。一九三五（同十）年日伯中央協会会長。内閣審議委員就任。第日本少年団連盟総長就任。一九三六（同十一）年「二・二六事件」で殺害された。享年七十八歳。

高橋是清（たかはし・これきよ）

高橋是清

自宅でくつろぐ是清

1．仙台藩足軽の子　寺奉行

高橋是清（たかはし・これきよ）（一八五四〜一九三六）は、明治から昭和初期の政治家・維新時十五歳。是清は、幕府御用絵師川村庄右衛門の子で、江戸で生まれ、仙台藩足軽高橋是忠の養子となり、愛宕下の仙台藩邸で育った。

是清は生まれてから三、四日もたたぬうちに高橋家に里子にやられたが、二年ばかりたつと三田聖坂《ひじりさか》の菓子屋で相当な店であったのが、是清を養子にほしいということで、生家の川村家へ相談に来た。川村家でもそれとなく貰い手を探していた時なので、話はスラスラと進んで、縁切りでやることになった。人の一生は実に間髪《かんぱつ》の間に決まるものだ。

一八八〇（万延元）年三月三日、桜田門外の変が起き、世の中は不安、商売は不景気となるばかりであった。是清は幼少時代から才能を認められ、大崎猿町の寿昌寺という仙台藩の菩提寺に奉公することになった。仙台藩の芝愛宕下の仙台屋敷の中には、留守居役三軒、物書役三軒、それに六十余軒の足軽小者らの住宅があった。是清の祖母は、これら留守居役が江戸へ上って来た時は、その奥方らの面倒をみていた。

この留守居役として、大童信太夫がやって来た。この人こそ、早くから開国に目覚め、是清の渡米のきっかけをつくってくれた人物である。外国の事情を極めておかねばならないという考えを持つことに目覚めた仙台藩の一人であった。洋学でもやろうという仙台藩の若武士たちに、ことに目を掛けてくれた人でもある。第二代日本銀行総裁や東京府知事になった富田鉄之助(宮城県東松島市出身)もその一人である。

2. 外国への脱走の企て

太田栄次郎という訳読の先生がやって来た。英語を覚えたければ、いっそのこと奮発して異人館のボーイとして住み込んだらどうか、という話を持ちかけた。その頃、英国の銀行の支配人からボーイを欲しいと依頼されていた太田が是清を

▼大童信太夫(おおわらわ・しんだゆう)(一八三二~一九〇〇)

仙台生まれ。公侯使。江戸留守居役、大番士。維新時は三十七歳。藩主十歳の時、小姓に抜擢され、藩主慶邦の近侍となる。江戸藩邸の公侯使に抜擢され、公武の間を周旋し各藩の志士で仙台に大童信太夫を知らぬ者なしと言われる。芝愛宕下の江戸屋敷に居り、大槻磐渓、但木土佐、玉蟲左太夫など開港を是とする藩士が出入りしていた。

▼富田鉄之助(とみた・てつのすけ)(一八三五~一九一六)

桃生郡小野(現東松島市)生まれ。父は小野邑主着座二千石の重臣で奉行。維新時は三十四歳。幕臣勝海舟の氷解塾で学ぶ。一八六六(慶応二)年、学術研修のため米国に留学。勝の子息・小鹿(十三歳)の後見人として同行。一八六九(明治二)年、岩倉使節団訪米の際には、大久保利通、伊藤博文の通訳を務める。外交官、日本銀行総裁、東京府知事、貴族院議員など。

斡旋した。是清は、通称、「金の柱の銀行」に太田に連れられて行き、ボーイとして雇われることになった。

是清は、ボーイを勤めながら、暇《ひま》な時には太田の所へ行って訳読を教わったり、自分で勉強したりして、別段学校に行くというわけではなかった。ボーイ頭の織田に「何とか手ぶらで外国へ行く方法はあるまいか。あったら世話をしてもらいたい」と相談すると、織田は「頻々《ひんぴん》外国から船が来る。うまく船長にでも頼めばボーイに使ってくれるだろう。俺が一つ探してやろう」と快く引き受けてくれた。

結局、織田の話は捕鯨船《ほげいせん》に乗って外国へ、という話だったが、たまたま仙台藩の星恂太郎が英国兵式修業のため横浜へ出ていた。星は「今度、勝海舟の息子（小鹿《ころく》）がアメリカに留学するので、庄内藩から高木三郎が同行することになった。仙台藩からは富田鉄之助を同行させてはどうかと、勝から留守居役の大童信太夫まで話があった。藩では富田を留学させることに決めた」という。

是清は、すぐに星の元を訪ねて行った。すると、星は是清を見るなり、「捕鯨船はその年輩では少々無謀だ。この手紙を持って、江戸の大童の所へ行け」と言って、添え状を書いてくれた。「星から紹介されて来ました」という是清に、大童は笑いながら「そうか、まだ決まった訳ではないが、とにかく横浜に行って待って

▼金の柱の銀行＝銀行の門が鉄の柱で建てられていた＝

通俗に言われていた英国の「バンク・オブ・ロンドン・インディア・アンド・チャイナ」という銀行。

▼星恂太郎（ほし・じゅんたろう）（一八五六〜一九二二）

仙台生まれ。維新時二十九歳。額兵隊隊長。大番士。禄高百七十石。尊皇攘夷を唱えて開国を主張する奉行の但木土佐、松倉良輔らを国賊として殺害を企てる。石巻から榎本艦隊の艦船に旧幕府軍、新撰組、彰義隊らと共に乗り込む。額兵隊の隊員二百五十六人も便乗した。非難中傷に耐えられず、五年、最下級の十五等で北海道開拓使として出仕。官を辞して仙台に戻り九年病没。

▼太田栄次郎（おおた・えいじろう）（一八五七〜一九二七）

本籍静岡県。小森龍二治の次男。一八七一（明治四）年、太田なつの養子となる。陸軍士官学校卒業。歩兵少尉に任官。日清戦争従軍。一九〇三（同三十六）年、歩兵第四五連

おれ」と言った。

是清は、洋行の願いが叶《かな》ったと思って喜び勇んで横浜へ帰った。星と織田にそのことを話して捕鯨船の方は断ってもらうことにした。

3. いよいよ故国出発　慶応三年春

是清は、かねてから外国行きを望んでいたが、一八六七（慶応三）年七月、幕臣勝海舟の子息（小鹿《ころく》・十三歳）の渡米の際、大童信太夫の配慮で仙台藩の留学生としてアメリカ行きを命じられた。小鹿の後見人として富田鉄之助、高木三郎も同行することになった。

サンフランシスコ行きのコロラド号は、七月二十五日、香港、上海を経由してアメリカに向かった。船には移民するシナ人が多く乗っていた。富田、高木、勝の三人は、いずれも上等室に乗っていた。是清はシナ人と同じ下等室に乗り込んだ。結局、富田から渡米の費用に、と渡された分まで飲んでしまった。

海路二十三日を費やして目指すサンフランシスコに到着した。その後、米国人の家庭労働者となりひとまず一安心。しかし、ホームステイ先で騙《だま》され、奴隷《どれい》同

隊長。日露戦争出兵。一九〇七（同四十）年、陸軍少佐。歩兵第十旅団長に就任。一九一二（同四十五）年、予備役に編入。

▼高木三郎（たかぎ・さぶろう）（一八四一～一九〇九）
庄内藩士の子。幕府の軍艦操練所入学後、勝小鹿の同行者として渡米。駐米日本公使館の「外務省出仕」、日米郵便交換条約の締結を果す。一八八〇（明治十三）年に外務省を辞し、横浜日仏で取締役となり、生糸の輸出に携わる。

▼後見人（こうけんにん）
年少者などの後ろ盾となって補佐すること。またその人。後見人が成年被後見人や親権者を欠く未成年者などのために財産管理や保護に当たる。

▼戊辰戦争（ぼしんせんそう）
明治新政府とそれに敵対する旧幕府、諸藩との戦争。鳥羽・伏見の戦い結果、新政府内で武力倒幕派が主導権を掌握した。旧幕府軍が賊

然に売られそうになったところ、一八六八（明治元）年、戊辰戦争の勃発で帰国することになった。アメリカから帰国の時、ちょうど森有礼が欧州から日本に帰る途中、米国に立ち寄り、サンフランシスコに滞在していた。そこで、是清ら三人の世話を引き受けることになり、三人を自分の附籍《ふせき》とした。

一八六九（明治二）年の正月。大学南校（現在の東京大学）が出来、語学がよく出来るという理由で、三人とも大学南校の教官三等手伝いという役職に就くことになる。

その後、是清は森有礼の勧めで文部省の一等出仕（仕官）となり、農商務省を経て一八八三（明治十六）年に初代特許（現・庁）局長となる。さらに役人を辞めて、養牧業、翻訳家、相場師と仕事を転々とすることになるが、最終的に相場に投じた六千円は千五百円の赤字になり、相場の仕事から手を引いた。

４．再び官僚へ―。欧米視察の旅

一八八一（明治十四）年、是清が二十八歳の年の春、友人たちが、いつまでも学校で教鞭を執るばかりが筋でもあるまい。いっそのこと文部省に入って、教育の

軍、新政府軍が官軍にされるに当たって慶喜は江戸に逃げ帰った。江戸は無血開城となる。廃藩置県の基礎的要因となる。新政府は戦後処分で東北諸藩から八十四万石を没収し、新政府の直轄支配の強化を図った。

▼森有礼（もり・ありのり）（一八四七〜一八八九）

明治前半期の近代公教育制度の基礎をつくった初代文部大臣。薩摩藩の下級武士の家に生まれる。藩命によりイギリスに密航。その後渡米してトーマス・レイク・ハリスによりキリスト教との接触。新政府に出仕。廃刀論を提案して罷免となり下野。『信仰自由論』や『日本の教育』など英文で公刊。商法講習所（現一橋大学）を自邸内に創設。駐英公使としてロンドンに駐在中、伊藤博文と教育に関する意見が一致、文部大臣に就任。明治二十二年の帝国憲法発布当日、刺客西野文太郎に襲われて死去。享年四十三歳。

▼大学南校（だいがくなんこう）

東京大学の前身の一つ。一八六九

（明治二）年に開成学校（開成所）を大学南校と改称。その後、一八七一（同四）年南校、一八七三年開成学校、一八七四年東京開成学校となり、一八七七年（同十）年東京大学となる。

高橋是清邸

事業に当たってはどうかと勧めるので、その気になった。しかし、その後間もなく農務省が出来た。またまた文部省御用掛を拝命してからわずか一ヵ月もたたない時であった。

その後、農商務省の工務局では調査課勤めを命ぜられ、予定のごとく、もっぱら商標登録並びに発明専売規則の作成に従事した。三十二歳の時だった。一八八五（明治十八）年、フランス式の簡易な無審査専売特許法を立案、専売特許所長を命じられた。

一八八五年一月付をもって欧米出張の辞令を受け、農商務省書記官に任ぜられ、横浜を出帆《しゅっぱん》した船で米国へ出発した。サン・ペプロパ号は、同年十二月にサンフランシスコ港に到着。三日間の滞在中、私設消防隊の視察（火災保険会社経営）、失火の報を得てからわずか八分で出動できるという話を聞いたりした。

ニューヨークに着いて最初の〝仕事〟は、洋服の注文であった。高橋領事が是清の洋装を見て、「君の洋服は日本製でみっともないから新調したらよかろう」と言うので、翌日早速洋服屋に行って、昼用のモーニングと夜用の燕尾服《えんびふく》、フロックコート各一揃い、および外套を注文した。是清は、その値段の高さに驚いたという。農務省からもらった手当では足りず、四百ドルの借金が出来た。

是清

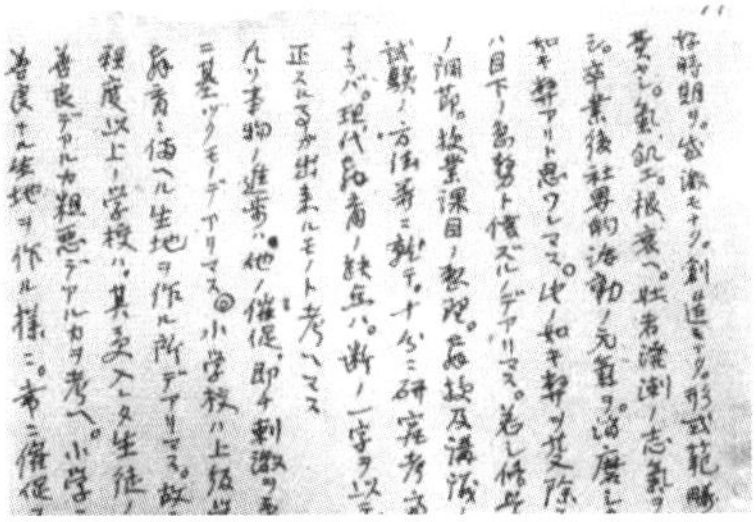
是清の筆跡

一八八九（明治二十二）年、是清は官僚の仕事を中断し、銀山開発を計画して南米ペルーに渡ったが、事業に失敗、全財産を失うことになる。国家公務員の月給が五十円という時代、十二万円という当時としては巨額の損失である。仮に月給が三十万円とすれば、七億円にもなる計算だ。
是清にとって、人生の苦い経験となった。

5．「転職」をバネに飛躍　高橋財政築く

昔の日本、特に高度経済成長期のサラリーマンにとって、仕事は「一生同じ会社で働く」というのが主流派だったように思う。「転職しながらキャリアアップを目指す」という働き方が珍しくなくなったのは、二〇〇〇年代前半の小泉改革の時代あたりからだろうか。

非正規雇用が増え、ＩＴで巨万の富を得る人が出てくる中で、経済的格差は拡大し、「一億総中流」という言葉は、遠い昔のことになってしまった。非正規雇用が長引くと、負の連鎖によって、なかなか這い上がれない。一度レールから外れ、転落してしまうと、再度這《は》い上がるのが困難な今の時代、われわれはどのように

生き延びればいいのだろう。高橋是清の生き方にそのヒントを探そう。

高橋是清の転職回数は、時代背景を考えると、抜きんでて多かった。彼の働き方、運命は、今の時代に何か深い示唆《しさ》を与えているように思う。もし、あなたが「転職」を考える時、それが自分にとって良いことか、悪いことか、ということであろう。ただ、善し悪しは一口では断定できないが。

鉱山事業で巨額の損失を出したにも関わらず、是清は自分の才覚と努力で、運を引き寄せていく。

6. 高橋是清の人生後半の「幸運時代」

四十三歳（明治三十年）の時、正金銀行の副頭取、五十二歳（同三十九年）で同行の頭取に就任。翌年男爵。五十七歳（同四十四年）には日本銀行総裁となる。

一九一三（大正二）年、山本権兵衛内閣で大蔵大臣。一九一八（同七）年、原敬《はらたかし》内閣で大蔵大臣。一九二〇（同九）年、子爵。原敬が暗殺されると、総理大臣兼大蔵大臣となり、政友会総裁に登り詰めた。一九二四（同十三）年、護憲運動の時

▼正金銀行（しょうきんぎんこう）

横浜正金銀行の略称。第二次大戦前に貿易金融・外国為替などの国際金融業務を専門的に取り扱っていた特殊銀行。一九〇六（明治三十九）年、高橋是清日銀総裁が頭取を兼任。一九四五（昭和二十）年東京銀行、二〇〇六（平成十八）年より三菱東京ＵＦＪ銀行。

▼山本権兵衛（やまもと・ごんべい）（一八五二～一九三三）

明治・大正期の海軍軍人、政治家。鹿児島県生まれ。日清戦争で大本営海軍大臣副官として従軍。山県内閣海相。日露戦争では開戦回避を唱えた。山本内閣首相。関東大震災後、第二次首相。震災復興を推進した。伯爵。「薩摩の海軍」の中心的存在として重きを為した。

は爵位《しゃくい》を辞して代議士に当選。加藤高明《かとうたかあき》内閣の農商務大臣。翌年総裁、大臣を辞任。

一九二七（昭和二）年、田中義一《たなかぎいち》内閣で大蔵大臣を務める。昭和初期の金融恐慌の際には、金融のプロとしての手腕を発揮し、パニックを終息させている。

一九三一（同六）年、犬養毅内閣の大蔵大臣として、金輸出再禁止を断行。「五・一五事件」で犬養首相が暗殺されると、その後成立した斎藤実内閣の大蔵大臣、一九三四（同九）年、岡田啓介内閣でも大蔵大臣。一九三六（同十一）年、予算編成のため軍部と対立し、同年二月二十六日未明、赤坂表町の私邸で青年将校らの襲撃を受けて死去した。

高橋是清にとって、人生後半の三十一年は、政治家・財政家として歴史に残る仕事をした時期であり、生涯で最も輝かしい時代であったのは間違いない。

是清は、総理辞任後も、大蔵大臣を通算六回も務め、国のために全力を尽くした。積極的財政で国を救い、経済中心の軽工業から、鉄や軍需の重工業へと体質を変換させ、景気好転を成功させる「高橋財政」を展開した。

無欲の人柄は、政治家の鑑と言える見事な人生であった。死後は「大勲位菊花

▼犬養毅（いぬかい・つよし）（一八五五～一九三二）

明治から昭和期の政党政治家。戦前最後の政党内閣首相。備中国生まれ。立憲改進党創設に参加。東京府会議員。報知新聞社。中国の国民改革を支持。指導者孫文と交友。第一回総選挙で衆議院議員。以来十八回まで連続当選。逓信大臣。犬養内閣首相兼外務大臣。協調主義外交を堅持すべく、満州事変、上海事変の収拾に努めたが、「五・一五事件」で殺害された。

▼五・一五事件

一九三二（昭和七）年に起きた海軍青年将校を中心とするクーデター事件。血盟団事件の第二陣として計画された。当初、陸軍側の荒木陸相に決行を期待したが、結局海軍側が中心となって決行された。首相官邸をはじめ内大臣邸などを襲撃し、犬養毅首相が射殺された。

▼斎藤実（さいとう・まこと）（一八五八～一九三六）

明治から昭和前期の海軍軍人、政

大綬章」を授与された。子爵。享年八十三歳。

治家。水沢生まれ。米国留学後、山本海軍大臣の下で長く海軍次官。主に軍政畑を歩む。海軍大臣を八年間の後、予備役。原敬首相時に朝鮮総督。斎藤実内閣を組閣し首相となり、挙国一致内閣を二年余維持、岡田啓介内閣で内大臣に就任後、「二・二六事件」で殺害された。

▼岡田啓介（おかだ・けいすけ）

（一八六八〜一九五二）

軍人・政治家・海軍大将。連合艦隊司令長官。田中・斎藤両内閣の海相。一九三四（昭和九）年首相。二・二六事件の時、襲撃されたが難を逃れた。以降重臣として国政に関与。

田中義一（右）と是清

その風貌から「だるまさん」と呼ばれた是清

大槻文彦（おおつき・ふみひこ）

大槻文彦

1．生い立ちと青年期

大槻文彦（おおつき・ふみひこ）（一八四七〜一九二八）。国語学者。磐渓《ばんけい》の三男。一八四七（弘化《こうか》四）年、江戸の生まれ。元々は一関の出で、祖父は江戸後期の蘭学者・蘭医・仙台藩医。江戸に出て杉田玄白《すぎたげんぱく》や前野良沢《まえのりょうたく》に医学・蘭学を学び、長崎に遊学。江戸に蘭学塾の芝蘭堂《しらんどう》を設立。父・磐渓は幕末・明治初期の儒学者。仙台養賢堂学頭《がくとう》。開国論を主張した。著『近代史談《きんだいしだん》』。

このような学才的な文彦は、五歳の時から家学である儒学と詩文を習う。十五歳で大学頭林学斉《だいがくとうはやしがくさい》の門人となり、翌年には開成所（江戸幕府の洋学教育研究機関）で英語と数学を学ぶ。一八六二（文久《ぶんきゅう》二）年秋、一家は仙台に転居し、父・磐渓が副学頭を務める養賢堂《ようけんどう》（仙台藩の藩校）に入学。その後、「武よりも文をもって志《こころざし》を」という考えから、諸生主立《しょせいおもだち》（助手）を命じられる。

▼蘭学（らんがく）
オランダ語を通して学ばれた西洋の学問。技術、文化などの総称。幕末にオランダ語以外の言葉によるものが加わってくると、全体として洋学と呼ばれる。一八一五（文化十二）年に成立した杉田玄白の『蘭学事始』によって、その頃までの蘭学の大要がわかる。

▼儒学（じゅがく）
孔子をはじめとする儒家の流れをくむ思想・教学。儒学と儒教は広義は同じだが、狭義には儒学は学術面、儒教は政教面をいう。中国の春秋末期から戦国期に現われ、政治や倫理の中心教学となり、以後、仏教・道教などの影響を受け発展しつつも中国思想史に主流的地位を占めた。

文彦は、一八六六（慶応《けいおう》二）年四月、藩から洋学稽古人《けいこにん》を命じられ、養賢堂で蘭学と英語を学ぶ。しかし、仙台では十分な英語教育が受けられないので、九月には江戸に出た。そして横浜に潜入し、米国人バラーから直接英語を学ぶ。文彦はアルバイトに英国領事館付の宣教師・ベーリーの発行する「万国新聞紙」の編集に雇われる。いわば、日本最初の新聞記者を務めることになるが、何人かの食客（居候）を養うことが出来るくらいの、かなりの高額な報酬を得たという。しかし、幕府の書生狩りに遭って、せっかく横浜に潜入した文彦も江戸の仙台屋敷に帰らざるを得なかった。

戊辰戦争直前の一八六七（慶応三）年、徳川慶喜の大政奉還《たいせいほうかん》の報があった。急ぎ上京（当時は京都に行くこと）することになった仙台藩留守居役・大童信太夫（公儀使）の随行員として、文彦は同行。京都での文彦は、身分を隠《かく》し、大童の目となり手足となって市中に潜行。公文書写しや風説の収集といった、いわばスパイ活動に従事した。

▼養賢堂（ようけんどう）
仙台藩学問所。一七三六（元文元）年設立。一時衰退したが、七代藩主重村が一七七一（明和八）年に再興。明倫養賢堂、翌年養賢堂とした。一八一四（文化十一）年、大槻平泉（大槻一族）によって医学館・施薬所・薬園を設立。その後、西洋医学を教育する蘭方科を設ける。

▼食客（居候）（しょっかく・いそうろう）
他家に同居し、その家で扶養される者。厄介（やっかい）、客分（きゃくぶん）ともいう。

▼戊辰戦争（ぼしんせんそう）
明治新政府とそれに敵対する旧幕府および幕府方諸藩との戦争。発生した一八六八（慶応四～明治元）の干支である戊辰（つちのえたつ）から取った呼称。

▼大童信太夫（おおわらわ・しんだゆう）
仙台藩江戸留守居役。小姓に抜

擢され、藩主慶邦の近侍となる。一八二三（安政六）年、江戸藩邸公儀使に抜擢され、公武の間を往来する。開国・開明を主張し、海外情勢に目を向け、若手藩士らに英語を学ばせ、子弟の教育に力を注いだ。勝海舟の子息・小鹿が渡米する際、年千両の費用を藩から支出させ、富田鉄之助（日銀総裁）を随行させ、経済学を学ばせた。大童は勝海舟や福沢諭吉など幅広い人脈を駆使して幕末の仙台藩に多大な貢献をした。

▼西郷隆盛（さいごう・たかもり）（一八二七～一八七七）

幕末・維新期の政治家。薩摩藩士。号は南洲。薩摩藩の指導者となり、江戸幕府を倒す。

▼勝海舟（かつ・かいしゅう）（一八二三～一八九九）

旧幕府軍の軍事総裁。幕臣で海軍奉行。西郷隆盛との会見で、江戸城無血開城を果し、新政府軍との交渉の前面に立つ。

2. 父・磐渓の救出運動

西郷隆盛と勝海舟の会談で一八六七（慶応《けいおう》三）年、徳川政権を朝廷に返上、江戸の無血開城となる。しかし戦塵《せんじん》は治まらなかった。同年四月、文彦は藩から横浜での洋学修業を命じられたが、五月には江戸に呼び戻され、藩の〝スパイ〟と兵器購入係を務めることになる。

仙台藩は朝敵《ちょうてき》と目されていたので、文彦自身も長州兵に付け狙《ねら》われていた。九月にはプロシア船を雇って、横浜で購入した兵器と彰義隊の生き残りの人たちを乗せて仙台に向かう。しかし、途中で暴風に押し流され、宮戸島《みやと》（現在の東松島市）近くで暗礁《あんしょう》に乗り上げてしまった。かろうじて人員は助かったが、船は沈没してしまった。

文彦らは何とか船から逃げ出して塩竈《しおがま》に隠《かく》れ、その後、寒風沢《さぶさわ》（現在の塩竈市）からプロシアの帆船で脱出。江戸に戻った文彦は横浜に行き、英語の勉強に精を出した。

朝敵となった仙台藩に対する処分は、藩主の謹慎《きんしん》と家老の但木土佐、坂英力の死罪だけでは済まず、奉行の和田綾部《わだあやべ》（蒲生《がもう》）や米国帰りの玉蟲左太夫（養賢堂統取）など有能な七名も処刑されてしまった。

一方、一関山目の宗家に避難していた父・磐渓《ばんけい》も避難先で捕縛《ほばく》され、親類に預けられ、入牢《にゅうろう》となる。処刑予定名簿には磐渓の名前もあったが、高名な学者であり、また高齢でもあり、処刑という厳罰に対する批判的な世評もあって、終身禁固に減刑された。

この話を聞いた文彦は、仙台に戻り、新しく出来た議事局に出頭して、我が身をもって老父の罪に代わらせてほしいと願い出た。この議事局というのは、戊辰戦争の戦後処理のために出来た機関であった。その議長を務めていた桜田良作以下は尊皇派で固められていた。桜田の父・周作は、かつて養賢堂学頭《ようけんどうがくとう》を争って敗れた人で、その恨《うら》みを呑《の》んで死んだという因縁《いんねん》が絡《から》んでいた。

このような文彦の熱心な運動が功を奏したのか、一八七〇（明治三）年の元旦に磐渓の病気危篤《きとく》という名目で出牢し、親類預けを申し渡された。七十歳の父を迎える二十四歳の文彦は、「父の温顔《おんがん》を拝した嬉《うれ》しさは、永く忘れられなかった」と記している。

勝海舟

▼彰義隊（しょうぎたい）
戊辰戦争中に江戸上野で新政府軍と戦った旧幕府軍の隊名。一八六八（慶応四）年に浅草本願寺で組織され、江戸市中を巡邏警備し、寛永寺に謹慎中だった徳川慶喜の護衛を名目に上野に屯集。輪王寺宮親王を擁して総勢三千人と称された。

▼但木土佐（ただき・とさ）（一八一七～一八六九）
仙台藩の実質的な指導者。筆頭奉行として藩政を執行、軍事を総括し、殖産興業に力を注ぐ。土佐は仙台藩の儒学者・大槻磐渓の思想を受け、開国・和親主義者となり、幕府の開国政策に同調していた。しかし、奥羽鎮撫軍が仙台に来てから、坂英力が総司令となり会津出陣となる。しかし、戦後土佐と坂英力は反逆首謀の臣として仙台藩麻布屋敷で斬首された。

▼坂英力（さか・えいりき）（一八三三～一八六九）
明治維新時、同盟軍の総帥。仙台藩筆頭奉行。藤沢黄海（一関市）を

領する。軍事軍略の知能に優れて藩主慶邦の信任篤く、幕末多難の時局に仙台藩政の主流となる。坂は但木と共に大藩の国政を執行、奥州列藩軍の総帥となるが敗れる。藩の戦争責任を一身に背負い、反逆首謀の罪で仙台藩麻布屋敷で斬首される。

▼玉蟲左太夫（たまむし・さだゆう）（一八二三〜一八六九）

仙台藩軍務局議事応接頭取。養賢堂頭取。安政初期に江戸藩邸の学問所、順造館教授として、若き日の富田鉄之助（後に日銀総裁）や高橋是清（後に首相）らの指導に当たる。一八六〇（安政七）年、林大学頭の推挙により日米通商条約批准のため、幕府正使・新見正興の従者として渡米。養賢堂では蘭学者の大槻磐渓に学ぶ。

▼尊皇派（そんのうは）

幕末の内憂外患状況打破を目指して、尊皇攘夷論に立脚して推進された政治運動。天皇を尊ぶこと。

3. 教育家としての文彦

蘭学者・大槻玄沢《おおつきげんたく》の孫・大槻文彦は、国語学者として有名だが、教育家としても宮城師範学校（現在の宮城教育大学）や宮城尋常中学校（後の仙台一中、現在の仙台第一高等学校）の初代校長となり、大正デモクラシーの旗手となる吉野作造（政治学者）らの俊英を世に送り出した。

一八七二（明治五）年に学制が公布されて、全国に五万三千の小学校が開設されたことに伴い、明治政府には教員養成が急務となっていた。文部省は東京に次いで大阪と仙台にも師範学校を設置することとし、一八七三（明治六）年に宮城師範学校の開設を大槻文彦に命じた。宮城師範学校は、現在の宮城県庁がある勾当台地区に計画された。奥州の新時代を拓くこの西洋風校舎は、大槻校長自身が設計したという。一八七三年に起工し、翌一八七四（堂七）年に落成した。

一八八七（明治二十）年、仙台に第二高等学校が設置され、尋常中学校に準ずる予科・補充科も併設した。宮城県は県の負担が増えることを危惧《きぐ》し、翌年に宮城県尋常中学校を廃止する。

尋常中学校の廃止によって、宮城県の中等教育は新設の第二高等学校の予科・

補充科、私立東華《とうか》学校などで行なわれた。東華学校の校長には、京都同志社校長の新島襄《にいじまじょう》を迎え（兼任）、校舎は清水小路東側（旧日本専売公社）に置かれた。その後、宮城尋常中学校が再興されることになり、東華学校は一八九二（同二十五）年に廃止。校舎及び教具一式とともに職員・生徒も新しい学校に移った。初代校長は、国語学者として有名な大槻文彦が任命された。こうして、一八九二年に新制宮城尋常中学校が開校する。

生徒数は本校と附属小学校を合せて百五十人ほどで、開校当時の職員は大槻校長以下十人。後に五人が追加、校医も決まった。教官は東京師範学校から仙台に呼び寄せその任に当たらせた。

第一回目の生徒募集は開校と同時に行なわれ、南は金沢や長崎、北は函館まで全国各地から計四十六名が合格。十二月の学業試験で進学できたのは、うち十三名だけで、落第が二十七名。退学も六名いたという。現在と違って当時はかなり厳しい内容だったのだろう。文明開化期の風潮を嘆く投書もあったという。

▼吉野作造（よしの・さくぞう）（一八七八～一九三三）
政治学者。宮城県志田郡（現大崎市古川）生まれ。東大教授。海老名弾正門下のクリスチャンで、大正初年に民本主義を主唱。政治・外交・社会の民主化要求の論陣を張り、知識層に巨大な影響力を持った。

▼大政奉還（たいせいほうかん）
旧暦の慶応三年十月十四日（一八六七年十一月九日）、徳川第十五代将軍慶喜が政権を朝廷に返上したこと。

▼徳川慶喜（とくがわ・よしのぶ）（一八三七～一九一三）
徳川第十五代将軍（在職は一八六六～一八六七）。徳川斉昭の七男。初め一橋家を継ぎ、後見職として将軍家茂を補佐。一八六六（慶応二）年将軍職を継ぐ。

4. 国語辞典『言海』編纂《へんさん》

二〇〇〇（平成十二）年に発行された「二十世紀デザインシリーズ」の八十円郵便切手に、わが国の国語辞典『言海』や『大言海』を編纂した大槻文彦の肖像が取り上げられた。切手の説明文には、次のように書かれている。

「国語辞書『大言海』は、『日本辞書ことばの海（言海）』の増補版として、一九三二（昭和七）年に第一巻が刊行され、その後国語辞書の範となった。大槻文彦は一九二八（同三）年に稿半ばで死去したが、兄の大槻如電（和漢洋学）が遺稿を引き継ぎ、十二年後には全四巻が完結し『言海』と併せて百万部も普及し日本近代化に大きく貢献した。」

一八七五（明治八）年二月、宮城師範学校長の文彦は、仙台から東京に呼び戻され、再び文部省に出仕することになった。それまでは、当代有数の国語学者八人によって編纂《へんさん》が試みられたが、彼らは議論にのみ明け暮れてまとまらず、結局「エ」のところで挫折したままになっていた。しかも、「ア」から「エ」までの語彙の中に、洋語はわずか二語しかない、という偏ったものだった。しかし、当時の文部省編輯《へんしゅう》局長・西村茂樹は、「日本辞書」は和漢の学者に任せておいては駄目で、漢

▼言海（げんかい）

国語辞書。大槻文彦編一巻。文部省の命を受け、一八七五（明治八）年起稿。一八八六（同十九）年に原稿は完成したが、当初の文部省から出版の予定が立ち消えとなり、その後、自費出版の形で出す。一八九一（同二十四）年、四分割で刊行。標準的辞書として長く権威を維持した。

▼大言海（だいげんかい）

『言海』を増補改訂して出された。編者の大槻文彦が没後、兄の大槻如電らが引き継ぎ、原稿を整理して一九三二（昭和七）年に刊行。一九三二（同十二）年に全四巻で完結。約九万八千語を採録。語源・出典に意を用いる。

▼大槻如電（おおつき・じょでん）

（一八四五〜一九三一）

明治・大正期の民間学者。蘭学者・大槻玄沢の孫で、仙台藩儒学者・磐渓の次男。文彦は弟。儒学、蘭学を修め、国学も学ぶ。海軍兵学寮の漢

学教官。文部省で教科書の編集にも従事。

▼**新島襄**（にいじま・じょう）（一八四三～一八九〇）
教育家。二十一歳の時に渡米してアマースト大学を卒業。一八七二（明治五）年より岩倉卿全権大使に随行してヨーロッパを視察。一八七五（同八）年、京都に同志社英学校を創設。キリスト教主義教育を創始。

「遂げずばやまじ」の石碑

学の素養が十分な英文学者の文彦が国語にも詳しいので適役と判断し、文彦に日本辞書の編纂《へんさん》を命じている。

　十九世紀後半から二十世紀にかけての欧米列国は、国家意識に目覚めた国語辞書を作成していた。英国の『オックスフォード英語辞典』、米国の『ウェブスター英語辞典』、フランスの『フランス語辞典』、ドイツではグリム兄弟の『ドイツ語辞典』などがその例である。著者（古田）の一関一高時代の恩師・大島英介先生によれば、「文彦の辞書編纂も、当時の世界史の動向に沿ったもので、いわば〝近代文化づくり〟の一端を担ったものであろう」という。

　つまり、辞書づくりによる日本語の統一ということが、日本の独立の基礎、標識であると文彦は言うのである。

5．精神的土台「遂《と》げずばやまじ」

　文彦は、祖父・大槻玄沢、父・大槻磐渓から人生観を色濃く受け継いでいる。それは近代的日本の国語辞書の草分けと評価される『言海』を書き上げていく苦難の日々の中で、文彦の精神的土台となった「**遂げずばやまじ**」という「強情

東華学校の校舎

新島襄

おとこ」の覚悟だった。文部省編輯《へんしゅう》局長・西村茂樹は、「辞書づくりを任せてからもう十年以上になるが、何と強情おとこのことよ」と言ったそうである。その真意は、「井戸を掘ると思い定めたら、水が出るまで、最後まで掘り続けろ」ということだろう。

ＪＲ一ノ関駅前には、郷土の偉人、大槻玄沢《げんたく》・磐渓《ばんけい》・文彦《ふみひこ》と三代にわたる「大槻三賢人」の胸像が建っている。

初代の大槻玄沢（一七五七〜一八二七）は、一関藩医・大槻玄梁の子。一関中里《なかさと》に生まれる。わが国蘭学の先駆者であり、杉田玄白、前野良沢の教えを受け蘭学を開花させた。著『蘭学階梯』『重訂解体新書』。

大槻磐渓（一八〇一〜一八七八）は玄沢の次男。儒学者で、幕末にあって開国論を主張。著『孟子約解《もうしやくかい》』『献芹微衷《けんきんびちゆう》』。佐久間象山《さくましようざん》、福沢諭吉《ふくざわゆきち》等とも親交があった。

大槻文彦（一八四七〜一九二八）は、磐渓の三男。国語学者。史伝家。わが国初の国語辞典『言海』のほか、『広日本文典』等時折中里で執筆。『大言海』の執筆中に逝く。八十二歳。

「大言海」全４巻と索引
（一関博物館蔵）

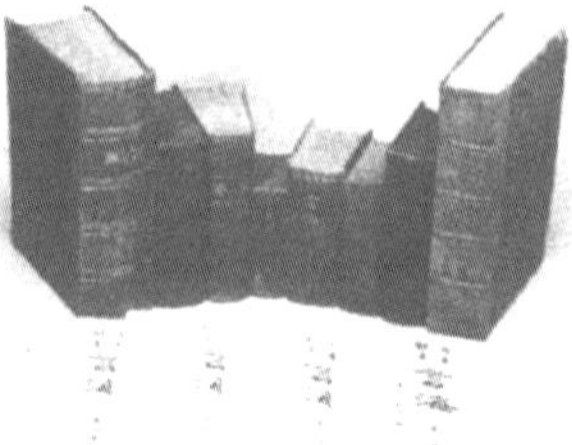

「言海」の初版本（手前）と各版
（一関博物館蔵）

大槻玄沢・磐渓・文彦三代の胸像（ＪＲ一ノ関駅前）

大槻家略系

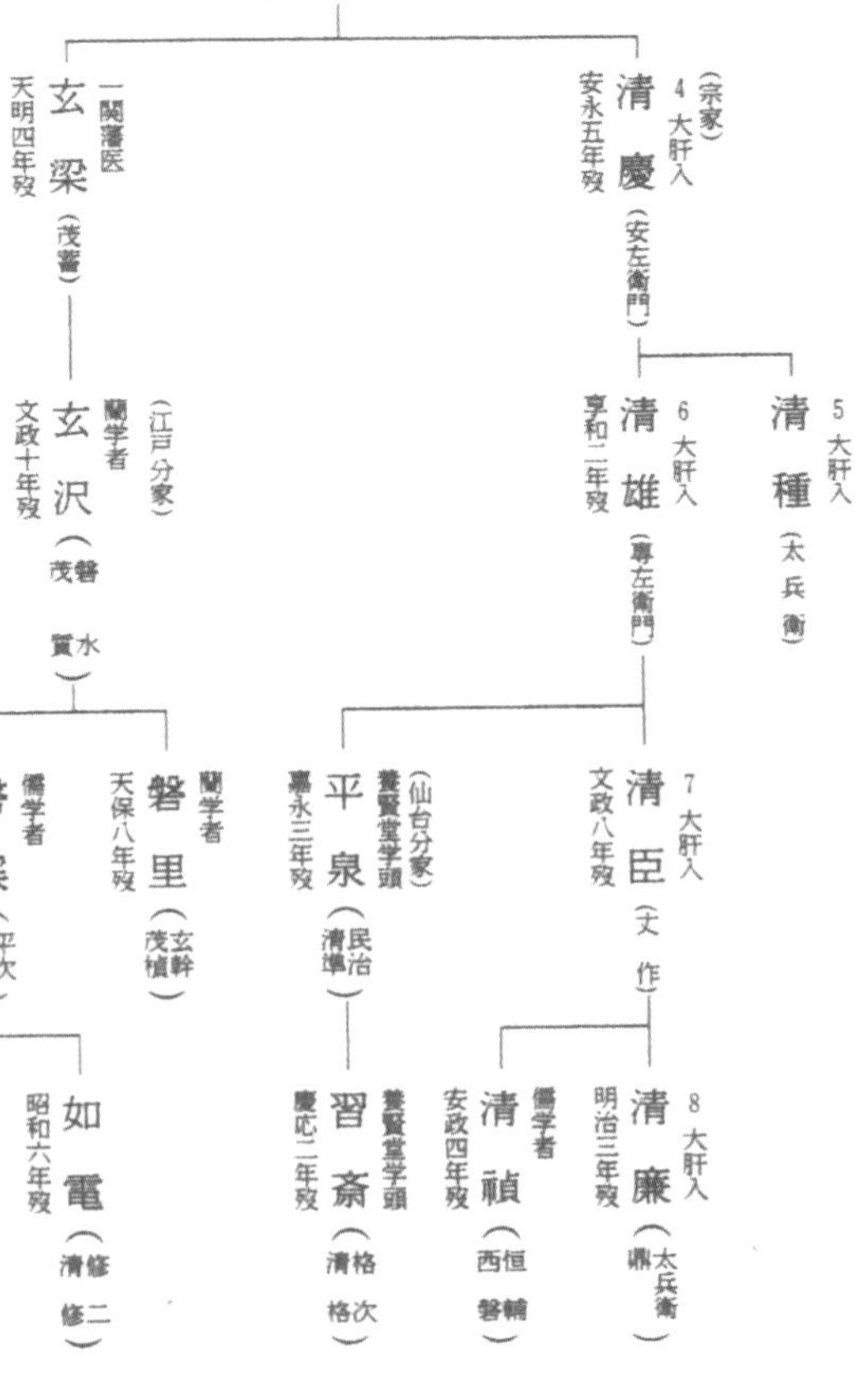

「大槻家略系」大島英介著『槻弓の春』より

粟野健次郎（あわの・けんじろう）

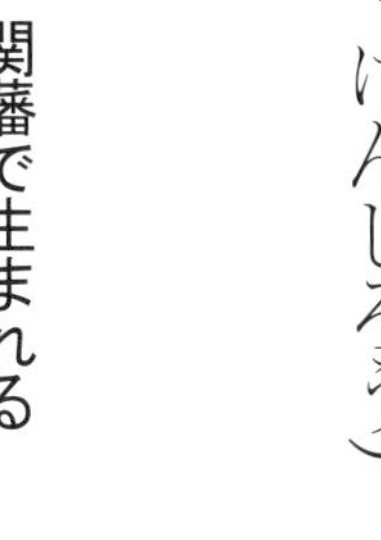

粟野健次郎

1．幕末の一関藩で生まれる

粟野健次郎（あわの・けんじろう）は、一八六四（元治《げんじ》元）年五月、一関藩藩士粟野匡《ただし》、いほの長男として生まれた。健次郎の生家は、陸奥国磐井《いわい》郡一関村中小路（現一関市田村町）の旧沼田家武家屋敷の北隣であった。

若き日の健次郎

粟野家の北隣にあった家

父・匡は一関藩奉行職、禄高九十石の中級武士であった。母は一関藩医・笠原耨庵《どうあん》の三女として生まれた。粟野家はもと桃生《ものう》郡（現東松島市と石巻市の一部）深谷領主長江家に仕えていたが、その後一関藩に抱えられた。明治維新後は一関県の官員を担ったが、水沢県が置県されると、「御用済み」として職を解かれる。廃藩置県により失職した父・匡は、新潟で警察署警部や佐渡郡長を務めた後、健次郎に家督を譲って隠居した。

健次郎が寺子屋で学ぶ年頃になると、二橋梨斎《にはしりさい》の私塾に通うようになった。

健次郎（左）と弟・定（中）、妹・亀尾（右）

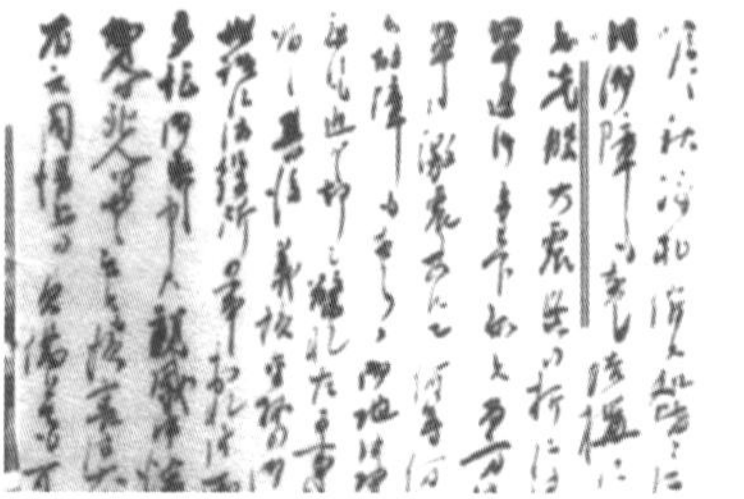

関東大震災後、無事を伝える健次郎の手紙

後に父が新潟で世話になる二橋元長の父である。百三十五石を録し、文武練達《ぶんぶれんたつ》の士であった。幕末、維新の時私塾を開いて藩学を中心に門弟に教授したようだ。学び始めたのは六歳（明治三年）の時であり、幼くして俊秀であると言われた。

当時の一関藩は、教育に非常に熱心な藩として名高く、数多くの人材を世に送り出していた。健次郎は後に学問の修得において、非凡なる才覚を発揮したが、その卓越した能力は健次郎固有のものではなかったようである。実弟、豊島定《さだむ》（慶應義塾大学教授）、小野寺恕《ひろむ》（海軍機関学校長）も外国語において卓越した才能を見せたが、これらは母方の祖父、笠原耨庵《どうあん》からその多くを受け継いだものと言われている。

当時の粟野家は、決して豊かとは言えないながらも、学問を修めさせるだけの余裕はなかった。幕末という時代の大きなうねりは、粟野家と健次郎の行く末に暗い影を落とし始めていた。

2. 粟野一家新潟へ。英語学校入学

廃藩置県により失職した健次郎の父・匡は、一八七二（明治五）年六月、既に

健次郎と教え子たち

旧新潟英語学校校舎

新潟県権参事として赴任していた二橋元長（一関時代私塾先生の父）の招きで新潟県三条警察署に勤務することになった。こうして栗野家は新潟に移住することになり、以後、健次郎は一関に住むことはなかった。

二橋元長は二橋梨斎の長男で、一関で生まれた。兵具奉行、百三十五石の武士で文武両道の練達の士であった。明治になり、外務省に勤めていた二橋元長は、新潟県権参事及び新潟病院長兼務を発令された。彼は「新潟県政改革提綱」を発表し、地方行政の先駆的役割を果たした。また、彼は新潟病院長として新潟医学所を併設したが、後にこの医学所は新潟医学校と改称された。このように二橋元長は、近代医学教育の整備・拡充に努めた。さらに医学のみならず、小学校教育の普及、師範学校、新潟英語学校の設立など新潟県における教育の基礎を築き、新潟が教育県と呼ばれるまでに至った。

新潟に赴任した父とともに健次郎もこの地に移り住み、一八七六（明治九）年、官立新潟英語学校に入学した。この英語学校は一八七四（同七）年三月、官立新潟外国語学校として設置された全国七ヵ所の外国語学校のうちの一つで、宮城外国語学校もその中に含まれる。官立新潟外国語学校はその後、新潟英語学校と改称され、大きな期待を背に多くの俊秀を育てたにも関わらず、設置からわずか三年後の一八七七（明治十）年に廃校になった。官立新潟英語学校に入学した栗野健次郎と、官立宮城英語学校に入学した斎藤秀三郎は、共に仙台本・支藩出身であり、彼らは揃って後に日本英語界の重鎮《じゅうちん》となった人物である。

3．文検に二十二歳で合格、東京時代

栗野健次郎は、新潟中学校を一八八〇（明治十三）年七月に卒業し、十六歳で上京した。新潟時代の仲間たちが皆大学に入って勉強しているにもかかわらず、健次郎はどうしても大学には入らなかったという。一時、慶応義塾に籍を置いたという話も伝わっているが、一度も講義を聴いたことがなかったようだ。

確かに大学には行かなかったが、健次郎は向学心が極めて旺盛《おうせい》で、文部省の検定試験を中心に準備であったろうと思われるが、上野図書館を中心に東京市内の図書館に三年間通い詰め、古今東西の書籍を原語で片っ端から読破したという。彼の言語力は抜群であると同時に、記憶力も人並み外れており、秀才を通り越して〝学聖〟の域に入る逸材だったといわれている。

結果的に健次郎は、二十二歳の若さで天下の難関といわれた文検《ぶんけん》（文部省中学

▼斎藤秀三郎（さいとう・しゅうさぶろう）（一八六六～一九二九）
英語学者。仙台の人。正則英語学校を創立。英和・和英辞書を編集。著『熟語本位英和辞典』など。

第一高等中学校（現東京大学）

▼新潟県権参事（にいがたけんごんさんじ）
部局の事務に参画し、重要事項の企画や総括整理を行う県職。

校師範学校英語教員検定試験）に見事合格した。

健次郎の文検での成績は抜群だった。特に英語の成績が立派なのには、当時の試験官は皆、舌を巻いて驚いた。試験官の一人、外山正一《とやましょういち》は「まこと後生畏敬《いけい》すべし」とまで言わしめたと伝えられている。

健次郎は一八八六（明治十九）年九月、東京府第一中学校一等教諭に任命された。翌一八八七（同二十）年、第一高等中学校（後の旧制一高）の英語教員嘱託となり、一八八九（同二十二）年には教授に任命された。特に旧制一高では、原則として通学を認めない三年間の「全寮制」であり、数百人以上の寮生が共同生活を送った。

健次郎は第一高等学校（後の旧制一高）に五年間在籍した。その間、小説家夏目漱石や後に首相となった岩槻礼次郎、ＫＳ鋼を発見した世界的物理・冶金《やきん》学者の本多光太郎らを、旧制仙台二高では、詩人・英文学者の土井晩翠、大正デモクラシーの論客吉野作造、日本銀行総裁・大蔵大臣の井上準之助、文芸評論家・小説家の高山樗牛らを教えている。

▼夏目漱石（なつめ・そうせき）（一八六七～一九一六）

英文学者・小説家。江戸牛込生まれ。五高教授。一九〇〇（明治三十三）年、イギリスに留学。帰国後は東大講師、のち朝日新聞社に入社。一九〇五（同三十八）年に『吾輩は猫である』、次いで『倫敦島』を出して文壇の地歩を確立。他に『坊ちゃん』『草枕』『三四郎』など。

▼岩槻礼次郎（いわつき・れいじろう）（一八六六～一九四九）

東京大学を首席で卒業。大蔵省主税局長を経て第三次桂内閣、第二次大隅内閣にて大蔵大臣。加藤内閣にて内務大臣。一九二六（大正十五）年若槻内閣、総理大臣。第二次若槻内閣組閣。戦後ポツダム宣言の受諾など終戦に向け重要な役割を果たした。

▼本多光太郎（ほんだ・こうたろう）（一八七九～一九六二）

物理学者・金属工学者。東京大学卒業後、ドイツおよび英国に留学、東北帝大物理学科教授となる。東北帝大金属材料研究所初代所長。東北帝大総長。鉄鋼および金属に関する冶金学、材料物理学研究の創始者。当時世界最強の永久磁石であるKS鋼、新KS鋼の発明家として知られる。文化功労者。

旧仙台二高の校舎（現東北大学）

▼土井晩翠（どい・ばんすい）（一八七一～一九五二）
仙台市出身。英語の他フランス語、ドイツ語、イタリア語、ギリシャ語、ラテン語を学ぶ。東京芸大から委嘱され『荒城の月』を作詞。公募により滝廉太郎の曲が採用され、一九〇一（明治三十四）年、中学唱歌に収められた。第二高等学校教授。詩人として初の文化勲章受章。

4. 仙台時代、二高と栗野観音

旧制第二高等学校は、一八八七（明治二十）年四月、第二高等中学校として仙台市に設立された。略称は「二高」。文化二組に対して理科五組と理科生の比率が高かった。また、二高は東北帝国大学のお膝元にあったが、旧制高等学校の増設や東北帝国大学の設立まで、東京帝国大学にも一高に次ぐ数の合格者を送り出していたこともあった。

当時の日本は、英語万能とでもいうべき時代にあったから、学生たちの英語研究熱も大変に旺盛であった。従って、英語の先生といえば、その時代に最も進歩的な人として重んじられ、一般学生から憧れと親愛と尊敬の的となっていた。

「日本の偉大な英文学者二人半あり」という逸話《いつわ》が、旧仙台二高の学生たちの間で語り継がれていたという。その一人は斎藤秀三郎《さいとうしゅうさぶろう》、もう一人が栗野健次郎、残った半人前が神田乃武ということである。半人前の神田先生こそ、文険定試験の時の先生だったとか――。

健次郎が身に付けた語学は、幼少時の漢学に始まり、英語の他、ドイツ語、フランス語、更にイタリア語、ラテン語、ロシア語、。ペルシャ語にまで及んでいた。

二高では英語の他、フランス語、ロシア語、イタリア語など数ヵ国語を講義したという。

著書をほとんど出版しなかった栗野先生を慕ったかつての教え子たちが、寄付金を出し合って「栗野観音」像を建立することになった。第二高等学校の最初の施設（片平校舎）に観音像が完成したのは一八八九（明治二十二）年。その後、二高は北六番丁、そして一九四五（昭和二十）年七月、仙台空襲で校舎が焼失した後、三神峯《みかみね》（太白区）に移転。観音像も校舎と共に転々とする。戦後の学制改革による学校教育法の施行で、戦前の旧制大学、旧制高等学校、師範学校、高等師範学校、大学予科および旧制専門学校が四年制の新制大学として再編され、二高も川内へ総合移転。そして一九七八（昭和五十三）年に元の北六番丁雨宮キャンパス（農学部）に戻された。さらに、二〇一八（平成三十）年十二月に雨宮キャンパスから青葉山新キャンパスに移転された。栗野観音像はやっと安住の地に安置されることになった。

観音像を建立するに当たって、関係者は奈良の中宮寺の如意輪観音像に、学生的雰囲気を醸し出すものを加味して観音思惟《しゆい》像を建立することに決めたという。

栗野健次郎は、酒をこよなく愛し、生涯独身で通し、弟妹へは献身的に援助し

▼吉野作造（よしの・さくぞう）（一八七八～一九三三）

宮城県大崎市出身。政治学者・思想家。東大法科大学助教授。三年間の欧米留学後、東大教授。大正デモクラシーの代表的な論客となる。その後、東京朝日新聞編集顧問兼論説委員として入社するが、政治評論家として退社、東大講師に戻る。

▼井上準之助（いのうえ・じゅんのすけ）（一八六九～一九三二）

日本銀行総裁、大蔵大臣、貴族院議員。第二高等学校で高山樗牛と主席を分け合う。日銀総裁時代に起きた昭和金融恐慌の際には、高橋是清とともに混乱の収拾に当たった。第二次山本内閣で大蔵大臣を務め、第二の渋沢と呼ばれた。

▼高山樗牛（たかやま・ちょぎゅう）（一八七一～一九〇二）

山形県鶴岡市出身。文芸評論家・小説家。帝大卒業とともに第二高等学校教授。学校紛争における校長の排斥運動をきっかけに辞任。博文社に入社し、『太陽』主幹となる。美

学を巡り森鴎外と論争。文学博士。結核の為京都帝大教授（内定）辞任。

▼帝国大学（ていこくだいがく）
旧制の官立総合大学。一八八六（明治十九）年の帝国大学令により東京大学が帝国大学となり、一八九七（明治三十）年京都大学が設立。その後は東北、九州、北海道、大阪、名古屋、京城（現在の韓国ソウル）、台北（現在の台湾）の各帝国大学が設置された。略称帝大。戦後は改編され、新制の国立大学となった。

▼神田乃武（かんだ・ないぶ）（一八五七～一九二三）
明治大正期の英語教育家。男爵、貴族院議員。米国アマースト大卒。大学予備門、東大で教え文化大学教授。東京外国語学校長。辞典・教科書編纂など英語教育に献身。ローマ字会創設に尽力。東京商科大教授。

授業中の健次郎（東北大学資料館蔵）

た。健次郎は一九三六（昭和十一）八月逝去。享年七十三歳。

5．国の礎となった教え子たち

第一高等学校、第二高等学校を通じ、栗野健次郎の教え子たちは国家繁栄の礎となった。その代表的な人たちは以下の通りである。

◎岩槻礼次郎　内閣総理大臣（第一高等学校、東京大学卒業）大蔵大臣、内務大臣。
◎夏目漱石　小説家・英文学者（第一高等学校、東京大学卒業）『坊ちゃん』など。
◎本多光太郎　物理学者・金属工学者（第一高等学校、東京大学卒業）ＫＳ鋼発見。
◎土井晩翠　詩人・英文学者（第二高等学校、東京大学卒業）『荒城の月』作詞。
◎高山樗牛　文芸評論家・小説家（第二高等学校、東京大学卒業）森鴎外と論争。
◎吉野作造　政治学者・思想家（第二高等学校、東京大学卒業）大正デモクラシーの代表的論客。
◎井上準三郎　（第二高等学校、東京大学卒業）日本銀行総裁・大蔵大臣・衆議院議員。

▼恬淡（てんたん）
心が安らかで無欲なこと。あっさりしていて物事に執着しないさま。「無欲」。

6. 本を残すことは、世に恥を残すこと

〃世の名聞に恬淡たる〃。健次郎は、かの文豪・夏目漱石さえも舌を巻くほどの無類の学識を誇った。それにもかかわらず、「本を残すことは、後世に恥を残すこと」として、一切の著作を残さなかった。それ故、教え子から「粟野先生ほど偉大で、かつ無名な人はいない」と評されるほど、世の名声からはほど遠い人であった。

粟野観音像

健次郎の教育の姿のみならず、現代にも通じる生き方そのものを考えるきっかけとなるであろう。『粟野健次郎警句集』よりその一部を紹介したい。これは、学生が書き留めていたものだという。『観音になった男～知られざる偉人・粟野健次郎～』より）

◎長生きは不満の延長である。◎今は友人に頼るよりも郵便貯金をした方が良い。◎昔は勉強は覚えるためにやったもんだが、今の学生は試験に出そうだから勉強する。

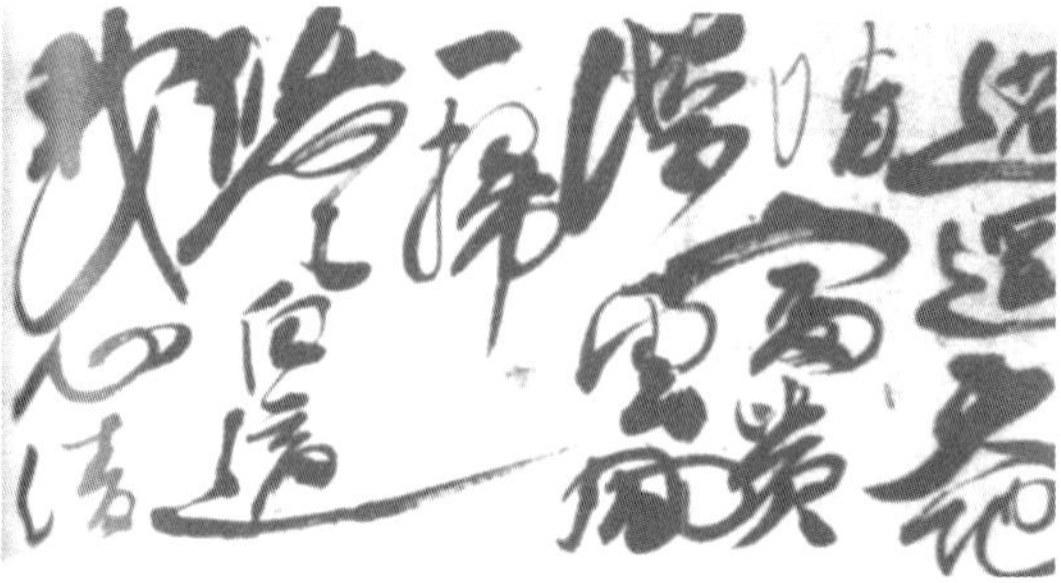

健次郎の書（奥村緑氏蔵）

◎シェークスピアは見る芝居ではなく、読む芝居だ。◎今は黄金時代である。金崇拝。◎競争などは、たった一人か二人が賞を受けるだけで、しかも弱り果てて血を吐いたりする。こんな馬鹿なことはない。◎人を愛せよと言いながら、坊主は喧嘩をし、医者は若死にする。◎学校は知識を与える所だ。そして近頃は質の悪いものを高価に売るようになった。◎競争は他人の悲しみを喜ぶ行為だ。剣道を学ぶ人は、相手の頭を叩いて愉快がっている。◎本を読んで馬鹿にならぬ人は、よい頭脳の持ち主だ。◎禁酒家は、体をこわした前科者が、人の幸福を羨（うらや）む嫉妬の覚である。◎自由主義とは何のことをいうのか分からないけれども、ただ人を犬猫のようにすることなのか。◎野蛮な人の宗教も高等の宗教も変わりない。◎平和会議で争い、不戦条約で戦っている。◎綺麗汚いはない。バラの花は肥料の変形である。◎引力は神である。及ばぬ所がない。◎観音（かんのん）は男でも女でもない。◎今の資本主義の起こりはピユリである。働け、使うな、貯まる一方である。◎十字軍は実は滑稽（こっけい）だ。武士道はどこでも誉めているが、事実は悪いものだ。◎パンばかりでは生きてゆかれないが、宗教ばかりではなお生きていらねぬ。◎道理と言っても、それは貧弱な人間の頭ででっち上げた代物で、信ずるに足りぬ、道理に合わぬと考えられることでも尊いことが数多い。◎裕福な人に共産主義を唱える人は少ない。

米内光政（よない・みつまさ）

1．母から独立独歩の精神学ぶ

米内光政

米内光政（よない・みつまさ）（一八八〇～一九四八）。享年《きょうねん》六十九歳。盛岡市下小路の旧南部藩《なんぶはん》下級藩士の家に生まれる。父・受政《ながまさ》が政治に凝って家庭をかえりみなかったため、母の針仕事で支える家計は文字通り赤貧《せきひん》、光政は小学校のころから台所の水仕事を手伝い、母を助けなければならなかった。

しかし、他人からあわれみを受けることを拒み続けた母から独立独歩《どくりつどっぽ》の精神を学び、寡黙《かもく》だったが、この母の生涯を愛し続けた。後に外国へ赴任した時は、必ず妻を母の元に残して面倒を見させたという。

盛岡中学時代は、体躯隆々《たいくりゅうりゅう》ながら人と争わず黙々と勉強。しかし家は貧しく教科書も買えず、夏休みは県庁の臨時雇いとして働いていた。中学の修学旅行の時、石川啄木は四年、金田一京助は二年後輩。米内も文学を愛し、この

▼石川啄木（いしかわ・たくぼく）（一八八六～一九一二）
歌人。岩手県生まれ。与謝野寛夫妻に師事。歌集『一握の砂』『悲しき玩具』のほか詩・評論など。

▼金田一京助（きんだいち・きょうすけ）（一八八二～一九七一）
言語学者。盛岡生まれ。アイヌ文学の研究を開拓。石川啄木と親交があった。著『ユーカラの研究』。文化勲章。

盛岡中学卒業記念写真

盛岡中学時代の米内（左）

後の米内を平和主義者にした。

父・受政《ながまさ》は盛岡市議会の第一候補だったが、石井知事の難色で第二候補か市長に指名された。光政は実業家として大成しようと、本町にある生糸商《きいとしょう》の丸福に入った。三ヵ月後、主人が亡くなり経営に携わっていた受政は相当額の借金を背負ってしまった。二度目の出奔《しゅっぽん》をした。父親は夜逃げ同然となり、トミは家の半分を人に貸したが、今度は家賃を払ってもらえず、しかも家は父親の借金の抵当になっており、高利貸しに取られてしまった。

まさに踏んだり蹴ったりの状況であった。これ以降、光政は母子家庭同然の環境で育ったことになる。屋敷を追い出された一家は、八幡の通りに面した四畳半長屋に引っ越した。長屋の住所は、光政の履歴書《りれきしょ》によると「盛岡市志家《しけ》第三地割字八幡町二十三番戸」となっている。少なくとも八幡町だけでも三ヵ所も渡り歩いていたことになる。

父は亡くなったが、彼が残した借金は残っており、光政はその後も借金返済に追われることになる。

▼**海軍兵学校**（かいぐんへいがっこう）
海軍兵科将校となすべき生徒を教育し、また、海軍兵曹長に対し兵科士官の素養に必要な教育を施した学校。一八七六（明治九）年、東京築地に開設、のち広島県江田島に移る。略称「海兵」。

▼**銀舎利**（ぎんしゃり）
（「しゃり」は俗に米粒の意味）白米の飯。一九四〇（昭和十五）年、日本の食糧不足時代の語。

ポーランド駐在時代の米内（右）

2. 海軍兵学校とライスカレー

米内光政が海軍兵学校を受験したのは、一八九八（明治三十一）年のことである。同校の受験資格は「中学卒業程度」であり、成績に自信のある者は五年生で挑戦していた。前年に受験した原敢二郎（後に中将《ちゅうじょう》）は、四年修了で受験し、トップでパスしていた。海軍学校は人気の的であった。

盛岡中学から海軍兵学校を受験したのは四人だった。仙台小田原金剛院丁《おだわらこんごういんちょう》（宮城野区）にあった安下宿に泊まった三人は合格したが、一人は不合格になった。盛岡トリオの成績はいずれも中以下で、最も良かった米内でさえ百三十七人中の五十七番、八角三郎に至っては最下位だった。

海兵では扱《しご》きや苛《いじ》めが当たり前だったが、幸いに小山田繁恭（後に中将）、島崎保二（同少尉）、原敢二郎《はらかんじろう》（同中将）、高橋寿太郎（同少尉）という岩手県人が在学していて、後輩の面倒をみてくれた。

入学早々の夕食時、初めて見る不思議なものが出された。「ずいぶん辛《から》くて、ドロドロした食べ物ですね。あれは何ですか?」。先輩は後輩のかわいい質問を聞いて、昔の自分の姿を思い出していたのか、顔を見合わせて笑った。「あれか。あれ

▼野村胡堂（のむら・こどう）（一八八二～一九六三）
昭和の小説家、レコード評論家。岩手県生まれ。盛岡中学で金田一京助、石川啄木らを知る。「あらえびす」の筆名で一九三一（昭和六）年から『オール読物』に「銭形平次捕物帖」を連載。平次ものは一九五七（同三十二）年まで計三百八十三編に達して代表作となる。

米内内閣誕生を祝う郷里での祝賀会

はライスカレーだ」。

昆布《こんぶ》を細かく刻んだメノコを雑穀《ざっこく》に混ぜて炊いたメノコご飯で育った米内にすれば、銀舎利を食べられるだけでもうれしかったが、海兵学校では特上のおかずがついた。米内は潤沢《じゅんたく》な料理を味わいながら、改めて郷里の貧しい食卓を囲んでいる母親の姿を思い描いていただろう。

当時はまだ、ライスカレーは珍しい食べ物だった。後に流行作家になる野村胡堂なども、金田一京助《きんだいちきょうすけ》の卒業を祝う席に招かれた時、初めてライスカレーを御馳走《ごちそう》になり、感激した一人である。「世の中に、これほど美味しいものがあるのか、と驚いたことがあります」と、盛岡中学で講演した時、野村胡堂は述べている。

その宴《うたげ》には、石川啄木や岩動露子《いするぎろし》（俳人）も招かれていたという。あるいは啄木にとっても、この日がライスカレーの初体験の日だったのかも知れない。

3．天皇の命で組閣

「朕《ちん》、卿《けい》に組閣《そかく》を命ズ――」。この大命《たいめい》を受けて拝辞《はいじ》もかなわず、米内光政海軍大将が組閣を終えたのは一九四〇（昭和十五）年の一月である。

この時、米内は自ら予備役編入を願い出て現役を去った。もともと「軍人は政治に関与すべきでない」が持論であったし、それに「総理の私が軍服姿では、ただそれだけで陸軍を刺激する」とおもんばかったからである。

事実、「米内は親英米派だ」と憎まれていた。陸軍は口を開けば国民精神総動員だ、大和魂《やまとだましい》だという。しかし、米内は、公言《こうげん》ははばかっても「精神だけで戦争がやれるか。英米と戦って勝てる見込みがあるか」という姿勢を頑《がん》として崩そうとしないのだから、猛々《たけだけ》しい戦争推進派から敵視されても仕方なかった。このことを憂慮《ゆうりょ》され、組閣に際して陸軍大臣に就任する畑俊六大将に「米内に協力するよう」特例の御諚《ごじょう》を下さっていたのである。

しかし、結局は、既に組閣の時から始まっていた陸軍の倒閣運動《とうかくうんどう》によって、米内内閣はわずか半年の運命で終わることになってしまった。陸軍が進めようとする、ファッショ的政治体制を確定するための新体制運動と、日独伊三国同盟の実現のためには、米内という男を抹殺《まっさつ》したいほどの邪慮《じゃりょ》ものだったのである。

同年七月初めに右翼による米内首相暗殺未遂事件が起きると、その直後、

▼予備役（よびえき）
現役を終了したものが服する兵役。一九二七（昭和二）年の兵役法公布により、陸軍の場合、五年四ヵ月、海軍は四年間就役し、戦時・事変に際して必要に応じて召集された。

▼畑俊六（はた・しゅんろく）（一八七九～一九六二）
軍人・陸軍元帥。旧会津藩士の子。陸軍大学校卒。パリ講和会議随員。侍従武長官。阿部内閣、米内内閣の陸相。南進論を支持し、単独辞職し米内内閣を倒す。戦後、東京裁判で終身禁固、一九五四（昭和二十九）年仮釈放。

▼日独伊三国同盟（にちどくいさんごくどうめい）
一九四〇（昭和十五）年九月二十七日、日独伊三国が世界新秩序建設に関する協力を掲げて締結した軍事同盟。第二次大戦発生後、ドイツが西部戦線で勝利したことに幻惑された日本は、東南アジアに進出しようとする南進論が沸騰し、ドイツ

畑陸相が辞表を提出し、陸相は「首相が所信を改めない限り」と詰め寄って内閣への協力を拒否。これを受けた米内は、何と未練もなく内閣を捨てた。ちまたには「無為無策《むいむさく》の内閣だ」と笑う者が多かった。しかし、米内は、八月には悠然《ゆうぜん》と日光に遊んで巷説には耳を貸さなかった。その信念には恥じなかったのである。

4. 親英米派　日独伊三国同盟排除

総理を辞めた米内は、太平洋戦争突入前から約四年間を、現役を離れたまま、家では素人《しろうと》大工や長唄や読書を楽しみ、私人《しじん》としての歳月を送った。この間、たった一度だけ公的な場に軍服姿を見せた。一九四三（昭和十八）年四月に南方で戦死した山本五十六の国葬で、葬儀委員長を務めたが、委員長として国民への挨拶《あいさつ》の中で、「我々は元帥の心を以《も》って元帥に続き、仇敵《きゅうてき》米英の徹底撃滅を期さねばならぬ」と語って、米内を知る人たちを驚かせた。親英米派《しんえいべいは》の米内が、〝仇敵《かたき》〟（憎い相手）などと口走ったのは、後にも先にもこの時限りだったからである。

三国同盟反対など同じ信念で生きて来た山本の死が、英米を仇敵と言わざるを

との条約を締結した。その結果、アメリカは反発を強め、日本の期待を裏切った。

▼巷説（こうせつ）
ちまたのうわさ。世間の風説。

▼山本五十六（やまもと・いそろく）（一八八四～一九四三）
軍人。新潟県生まれ。海軍大将・元帥。太平洋戦争に連合艦隊司令官として真珠湾攻撃などに成功したが、前線作戦司令中、ソロモン諸島ブーゲンヴィル島付近で搭乗機を撃墜され戦死。

山本五十六

得ないほどに悲しかったのであろうか。国葬の一ヵ月後、時の東条英機内閣が米内の入閣を求めて来たが、この時米内は静かに言った。「私は政治家には向かない。私も召集して、海軍軍人として死なせてほしい」。

5. 海軍で最も短いスピーチ

米内光政は長身で男前、無口な好男子である。それは、女流文学者の吉屋信子《よしやのぶこ》の折り紙付きだ。吉屋は議会を傍聴した折に米内（当時・海相）が一番好男子だったと言ったそうだ。ジャーナリズムは、米内の嫌味のない美丈夫《びじょうぶ》ぶりを、生一本《きいっぽん》な性格から来ているのではないだろうかと評している。

佐世保や長崎の芸者衆の間にも、米内のファンは多かった。米内が、第二艦隊司令官に任命され、佐世保を後にする時には、粋筋《いきすじ》の一団も見送りに加わり、華やかだったという。言葉は少なかったが、米内は無言のうちに人を惹《ひ》きつける魅力を持っていたようだ。また、米内が練習艦「磐手《いわて》」の艦長だった頃のエピソードにこんな話がある。

練習艦隊がニュージーランドに着いた時、米内が小学校の児童たちに挨拶する

▼**東条英機**（とうじょう・ひでき）（一八八四～一九四八）
軍人。陸軍大将。首相。陸軍中将東条英教の三男として盛岡で生まれる。関東軍参謀長、翌年陸軍次官。航空総監兼航空本部長を経て近衛内閣の陸相。その後首相兼陸相・内相。戦後、極東国際軍事裁判でA級戦犯として絞首刑となった。

東条英機

▼**佐世保**（させぼ）
長崎県北部の位置する市。旧軍港都市。一八八六（明治十九）年、鎮守府設置。一八八九（同二十二）年開庁。一九〇三（同三十六）年海軍工廠、巨大ドックが建設され、軍事機能の強化が図られた。現在は海上自衛隊の佐世保地方総監部がある。

▼元帥（げんすい）
将軍の統率者。総大将。元帥府に列せられた陸海軍大将の称号。

海軍大臣就任時の米内

▼孫子（そんし）
孫武の敬称。中国呉の孫武が著したとされる兵法書。一巻十三編。戦略・戦術を総合的に説いて思想性を持つ。

ことになっていた。この際、校長が日本について長いスピーチをした。米内はロシア語が得意だったが、英語は苦手だった。校長に引き続いて壇上に上がると、英語で「お会いできて大変嬉《うれ》しい」、そしてニコニコしながら「サンキュー」とだけ言い、壇から降りてしまった。校長の長い話に退屈していた子供たちは、大喜びで拍手し、「キャプテン、キャプテン」と米内を取り囲んだという。米内はたちまち子供たちの人気者になってしまった。

ちなみに、この時のスピーチが「海軍で最も短い英語のスピーチ」である。

6. 闘《たたか》わざる将軍

米内光政は、戦前の軍人政治家の中で異色の存在と言われている。軍人でありながら、戦争フィーバーの大勢に抗して、戦争を回避し、戦いの拡大を阻止するために心血を注いだ。つまり、闘わざる将軍であった。東北人らしく口は重く、やり方は大雑把《おおざっぱ》だったが、ツボはしっかり押さえ、状況判断は的確で、いざという時の行動は素早かった。

米内は、もちろん「孫子」の兵法に通じていたに違いない。「孫子」の冒頭に、

▼下剋上（げこくじょう）
下位の者が上位の者の地位や権力をおかすこと。南北時代からの下層階級台頭の社会風潮を言い、室町中期から戦国時代にかけて特に激しくなった。

第二艦隊司令部時代の米内（昭和９年頃）

「兵（戦争）は国の大事なり。死生の地、存亡の道、察せざるべからざるなり。」とある。戦争は国の重要な事、国の死活問題、国家存亡の岐《わか》れ道であるから、よくよく慎重に考えなければならない、という意味である。彼はこの原則を守り、愚《おろ》かな戦争フィーバーに抵抗したまでのことである。

米内のライバルだった陸軍は、昔の日露戦争時の謙虚《けんきょ》さも規律《きりつ》も失っていた。危険な下剋上の状態であった。傲りと功名心いっぱいの少佐や参謀クラスの中堅が、上司を牛耳っていたのである。中国を侮《あなど》り、ヒトラーを追信していた。

上層部は優柔不断、責任逃れ、おまけに陸軍は伝統の精神主義で、進むを知って退《しりぞ》くをタブー視する意識・考えが蔓延《まんえん》していた。米内は一歩、また一歩と後退しながらも、部署を離れても最後まで抵抗を続けた。

7. 米内光政の年譜

一八八〇（明治十三）年、盛岡市下小路に生まれる。一九〇一（同三十四）年二十一歳、海軍兵学校卒業。一九一二（大正元）年三十二歳、少佐進級、海軍大学校入学。一九一四（同三）年三十四歳、海軍大学校卒業、ロシア駐在武官補佐、

第一次近衛内閣での米内、山本、井上

中佐昇級。一九一七（同六）年三十七歳、佐世保鎮守府参謀。一九一八（同七）年三十八歳、ロシア出張、軍令部参謀を経てウラジオストク派遣、軍司令部付。一九一九（同八）年三十九歳、「富士」副長兼海軍大学校教官、軍令部参謀。一九二〇（同九）年四十歳、海軍軍令部出仕、欧州出張。一九二二（同十一）年四十二歳、「磐手」艦長（後に「扶桑」「陸奥」艦長。一九二五（同一四）年四十五歳、第二艦隊参謀長（翌年軍令部参謀兼艦政本部技術会長、第四水雷戦隊第一遣外艦隊鎮海要港部の司令官）。

一九三二（昭和七）年五十二歳、第三艦隊司令長官（この後佐世保鎮守府第二艦隊、横須賀鎮守府司令長官、海軍中将に昇級）。一九三六（同十一）年五十六歳、連合艦隊司令長官兼第一艦隊司令長官。一九三七（同十二）年五十七歳、海相。一九四〇（同十五）年六十歳、組閣の大命降り首相、七月首相退任。一九四四（同十九）年六十四歳、小磯《こいそ》内閣の海相（以降、昭和二十年十二月まで二度海相留任）。一九四五（同二十）年六十五歳、海軍省官制度廃止に伴い、海相を廃官。一九四八（同二十三）年四月、永眠（享年六十九歳）。

あとがき

岩手県南の田舎町に、年に一、二度、古自転車に乗ってやって来る紙芝居屋のおじさんがいた。私が子どもだった頃だから、八十年近くも前のことだ。テレビも無かった時代、それを見るのが楽しみで、指折り数えながら首を長くして待っていた。その時の記憶が今でも鮮明に心に残っている。

その頃、町には本屋さんが一軒だけあったが、店の書棚に多くの本は並んでいなかった。東京の親類が、読み終わった古本（主に講談社の絵本）を送ってくれた。戦時中のことだから、英雄伝説の乃木大将や源義経、そしてマンガはノラクロや冒険ダン吉（これは白黒印刷）など、社会経済統制の時代に出版内容も限定的なものがほとんどだった。

終戦後、ＧＨＱの時代に地方の文化活動の一環としてか、アメリカのナトコ映画（natco・啓蒙用の映画）が地方の田舎町でも上映され、姉に連れられて観に行った。初めて見るアメリカの文化と、日本とは比較にならない経済力に目を見張る思いで見入ったものだ。少年の日の強烈な記憶は、将来は映画制作に携わりたいという夢への下地になったと思う。

幸いにして、その後、テレビ・ラジオの企画・出演の仕事に関わることになり、本の発行も出来た。

今、この年齢になって、集大成としての本を出したいという思いが強くなっている。「郷土の偉人」として後世に残すべき人たちを、少年の日に観た紙芝居の形で書き残したい。そうした気持ちでこの本『郷土の偉人傳』を書き始めたのが昨年秋のことだった。

〝念ずれば、花開く〟。仏寺の山門前の碑に見られる訓言である。江戸前期の儒学者・教育者で知られる貝原益軒の教養訓では「志を立てることは大いに高くすべし。小にして低くすれば、人間まで小さくなってしまう。夢と気概を持った行動をとっていくと、いつの間にか人間も大きくなって、夢を実現するようになるもの」と書いている。

東日本大震災から丸九年、昨今は新型コロナウイルスで日本はおろか世界中が困難な状況に直面している。誇るべき郷土には、かつてこのような偉人たちがおり、様々な困難を克服し、郷里を、日本をリードしてきた。そうした先輩たちの業績と生きざまを、紙芝居のように長く後世に語り伝え、若い諸君の未来への指針にして欲しい。そう切に願うものである。

当書を出版するに当たり、本の森の大内悦男さんには各点にわたり種々お世話になったこと、改めてお礼申し上げます。

令和2年4月

古田　義弘

参考文献

『仙台市史』近世3　仙台市史編纂委員会
『岩手県の宰相〝秘話〟』高橋文彦　岩手日報社　平成19年
『宮城県史』宮城県　昭和41年
『斎藤実』佐竹修二　時事通信社　昭和49年
『岩手百科事典』岩手放送
『米内光政のすべて』七宮涬三　新人物往来社　平成6年
『八木山物語』石澤友隆　河北新報出版センター　平成12年
『千厩町史』近世2　千厩町
『斎藤善右衛門翁伝』斎藤報恩会　昭和17年
『仙台藩の戊辰戦争　幕末維新人物録』木村紀夫　荒蝦夷　平成30年
『矢本町史』矢本町　昭和49年
『観音になった男〜知られざる偉人・栗野健次郎〜』栗野健次郎顕彰会
平成28年
『故栗野健次郎先生追懐録』熊谷栄之助　第二高等学校同窓会　昭和11年
『大槻三賢人』阿曽沼要　高橋印刷　昭和17年
『ふるさとの若人へ』大島英介　一関信用金庫　昭和54年
『槻弓の春』大島英介　岩手日日新聞社　平成11年
『宮城県教育百年史』(第1巻) 宮城県教育委員会　ぎょうせい　昭和51年
『宮城県百科事典』河北新報社　昭和57年
『仙台藩歴史用語事典』仙台郷土研究会　平成3年
『後藤新平』鶴見祐輔　勁草書房　昭和40年
『岩手県蚕糸業史』岩手県蚕糸振興協議会　岩手県
『戦わざる提督　米内光政』半藤一利ほか　新人物往来社文庫　平成23年
『満鉄』原田勝正　岩波新書　昭和56年
『台湾総督府　日本の台湾統治五〇年を総括』黄昭堂
『仙台市史』古代・中世　仙台市史編纂委員会　仙台市　平成19年
『仙台藩の戊辰戦争　東北諸藩幕末戦記』木村紀夫　荒蝦夷　平成18年
『仙台市史』近世Ⅰ　仙台市史編纂委員会　仙台市　平成13年
『岩手年鑑』岩手日報社　岩手日報社
『改訂　郷土史事典　宮城県』佐々久　昌平社　昭和57年
『大風呂敷　後藤新平の生涯』椙森久英　毎日新聞社　平成11年
『大原歴史散歩』菊池喜一　大原史談会　昭和59年
中国の古典『論語』大山治義　学習研究社　昭和63年
『高橋是清自伝』(上・下) 高橋是清・上塚司編　中央文庫　昭和63年
『高橋是清随想録』口述・高橋是清、上塚司・聞き書き　本の森　平成11年

古田義弘（ふるた・よしひろ）

仙台郷土研究会員。住宅問題評論家。元東北福祉大学教授。

◎1936年岩手県一関市（千厩町）に生まれる。岩手県立一関一高卒。日本大学芸術学部中退。法政大学社会学部卒。東北大学教育学部・同工学部研究生修了。

◎「政宗公ワールド」プロジェクト前理事長。元・㈱フルタプランニング代表取締役社長。元・東北福祉大学福祉住環境研究所長。元・東北ハウジング・アカデミー学院長。元・東北都市学会顧問。元・杜の文化会議幹事代表。元・修紅短期大学非常勤講師（一関市）元・岩手県立一関一高同窓会仙台支部長。元・在仙千厩会会長。仙台藩茶道石州流清水派道門会顧問。宮城県教育庁（生涯課）みやぎ教育広報団員（講師）。

◎仙台放送・東日本放送の両局テレビ通算25年、東北放送ラジオ35年、ラジオ福島33年、岩手放送（ラジオ・テレビ24年）、山形放送（ラジオ・テレビ12年）※何れも住宅問題評論家として企画出演（解説・キャスター）。NHK（テレビ・ラジオ）出演。

◎著書：『仙台城下の町名由来と町割』『仙台八街道界隈の今昔』『仙台城下 わたしの記憶遺産』『現代に生きる歴史上の人』『居は気を移す』『家は人を創る』『意識（こころ）はあなたを変える』『宮城県百科事典』（共著 河北新報社）『仙台圏 分譲地と住宅の案内』『吾が道 一を以って貫く』『仙台市史』（現代2 共著）など。

仙台領に生きる　郷土の偉人傳《いじんでん》

2020年4月3日　初版発行
2020年7月30日　第二刷発行

編著者　古田 義弘
発行者　大内 悦男
発行所　本の森
984-0051　仙台市若林区新寺一丁目5-26-305
電話&ファクス022（293）1303

イラスト　古田 義弘

印 刷　共生福祉会　萩の郷福祉工場

ISBN978-4-904184-98-1